Les Pintades à Londres

Chroniques de la vie des Londoniennes,
leurs adresses, leurs bons plans

Dans la même collection :

Les Pintades à New York
Les Pintades à Téhéran
(à paraître)

Virginie Ledret

Les Pintades
à Londres

**Chroniques de la vie des Londoniennes,
leurs adresses, leurs bons plans**

Illustrations de Sophie Bouxom

Éditions Jacob-Duvernet

© Jacob-Duvernet, 2006.
ISBN : 978-2-253-08484-6 – 1re publication LGF

Sommaire

Avant-propos

En 2004, nous affirmions dans *Les Pintades à New York* que si l'Occidentale est névrosée, alors la New-Yorkaise en est au stade terminal. Deux ans plus tard, nous sommes bien obligées de constater que nous nous sommes trompées. La Londonienne n'a rien à envier à sa cousine outre-Atlantique. La Parisienne non plus d'ailleurs. Quand on est une femme aujourd'hui, on est forcément un peu pintade. Pour nous, ce surnom n'a rien de péjoratif. Au contraire. C'est un pied de nez, un *statement*, qui rend hommage aux multiples facettes des femmes. La pintade, égérie du nouveau féminisme ? Ab-so-lu-ment. Que l'on soit à Moscou, à Rio, à Dakar, à Tokyo ou à Oulan-Bator, même combat. On a un Jules (ou une Julie), des enfants, on travaille, on veut être belle et, qu'on se le dise, on revendique le droit à la frivolité. La pintade aspire à pouvoir être sérieuse et légère à la fois.

Pintades assumées, il nous a semblé indispensable – et irrésistible – de nous lancer dans l'exploration des autres basses-cours du monde. Après avoir sondé la psyché des New-Yorkaises, nous confions donc à nos sœurs de plume(s) le soin de décoder les modes de vies des oiselles de leurs territoires, sans oublier de nous livrer leurs adresses et leurs bons plans.

Voici le deuxième opus de la collection des Pintades. Il vous emmène au pays des petites Anglaises joliment excentriques. Et parfois même complètement déjantées.

Layla Demay et Laure Watrin

Introduction

C'est le coq qui chante, mais c'est la poule qui pond les œufs.
Margaret Thatcher, *über* pintade

À Londres, les pintades sont une espèce à part. On a beau les regarder, les écouter, les suivre aveuglément, essayer de les comprendre : elles défient l'analyse.

Habillées d'une chemise ouverte jusqu'au plexus en plein hiver, chaussées de mules en pleine tempête, jurant comme des charretiers au volant de leur voiture en particulier et devant les hommes en général, arborant l'été leurs gambettes poilues sous une jupe-culotte d'un autre âge, elles ingurgitent des bassines de thé au lait l'après-midi, boivent comme des trous après 17 heures et titubent sur les quais du *tube* avant de vomir dans le caniveau. Le lendemain, de nouveau à l'attaque, comme si de rien n'était.

Quand elles cherchent un homme, elles ont l'efficacité pragmatique. Elles essaient tout : *slow*, *speed*, *blind dating* et on en passe. Si elles ont du mal à garder l'oiseau rare, en revanche, les hommes d'un soir, elles les prennent d'assaut. Eux se laissent faire... et décampent à l'aube.

Indépendantes ou entretenues, elles raffolent des dernières tendances. *Trendsetters* et *fashion victims* à la fois, elles dépensent, dépensent, et dépensent encore. Elles ont élevé la consommation en nouveau dieu, et comme elles se veulent monothéistes, elles vont, tous les jours, adresser une prière à leur carte de crédit.

À Londres, capitale du fric, de la frime, des idées qui jaillissent et des réputations qui se défont (à coups de scandales politico-sexuels), la Londonienne se souvient d'ailleurs des mots de Paul Morand, ancien ambassadeur de France dans la capitale britannique : « C'est déjà bien ennuyeux de ne pas avoir d'argent ; s'il fallait encore s'en priver. »

Si les pintades londoniennes partagent de sacrés points communs, elles n'en demeurent pas moins des caméléons : leur plumage et leur attitude diffèrent d'un quartier à l'autre. Difficile en effet de comparer la *Single* de choc du sud de la Tamise avec l'aristo *posh* de Mayfair, la *North London Girl* de Hampstead avec la princesse de l'Empire de Southall, ou encore la *It Girl* de Sloane Square avec l'agitée de la perceuse des quartiers nord, j'ai nommé la pintade *DIY*. Pas plus qu'on ne réussirait à faire se croiser la Londonienne *high art & high brow* de Bloomsbury avec la *Mummy* de Putney, la fille *grungy* de Farringdon avec la *Sexy Chick* de Hoxton Square (quoique ces deux-là soient sœurs siamoises).

Les Londoniennes, un poulailler fascinant à observer.

God save the pintade !

Virginie Ledret

1 Au début était la It Girl

Le questionnaire pintade

Sa coupe de cheveux préférée
> Elle en a une pour chaque jour de l'année, vous plaisantez ou quoi!

Son animal de compagnie préféré
> Sa Jaguar type E.

Son expression favorite
> *Glam!*

Son juron, gros mot préféré
> *Bugger!*

Son Jules idéal
> Lord quelque chose.

Son livre de chevet
> Elle n'en a pas lu depuis, hum… elle ne se souvient pas.

L'objet qu'elle emporterait sur une île déserte
> Sa seringue de Botox.

Son moyen de locomotion favori
> Au choix : Lamborghini Murcielago, Aston Martin Vanquish ou Ferrari Enzo.

La personne connue qu'elle rêve d'avoir pour ami(e)
> Stella Tenant ou la duchesse de Cornouailles.

La It Girl, riche, sexy et décadente

Dès l'âge le plus tendre, cette *girl* des quartiers chic ne vit que dans le secret espoir d'être pourchassée par les tabloïds et par *Hello! magazine* et, un jour peut-être, d'être affublée du titre très convoité de « It Girl ». *It Girl*? Comprenez « celle qui l'a ». Qu'est-ce qu'elle a donc que vous n'avez pas? Difficile à définir. Son truc à elle, comme dirait Zizi Jeanmaire, c'est une vie facile et débridée, du fric comme s'il en pleuvait, des princes et des ducs comme meilleurs amis, des stars déchues du show-biz (mais qui défraient toujours la chronique, c'est l'essentiel) comme marraines, des soirées inoubliables qu'elle enfile comme les perles de ses colliers. En d'autres temps, on aurait dit de Françoise Sagan qu'elle était une *It Girl*, sauf qu'elle avait du talent et de l'esprit. La *It Girl*, il faut bien le dire, en est souvent démunie. Ce qu'elle a en quantité en revanche, ce sont des faux seins, des sacs en croco (mais pas en poulain, elle aime trop les animaux!), des mules Manolo Blahnik, l'anorexie en héritage, et un teint hâlé en permanence. La femme moderne. Enfin, pour certains.

Le plumage de la *It Girl* varie cependant selon le perchoir qu'elle s'est choisi. Il y a la *Sloaney* des quartiers sud-ouest. Plutôt BCBG, on la trouve surtout près de Sloane Square, sur les trois kilomètres de Kings Road, dans les rues cossues de Belgravia et dans ces charmantes impasses ombragées, les *mews* de Pimlico. La pintade *sloaney* relève le niveau et donne un peu de sa classe et de son élégance au statut de *It Girl*. Elle aime se frotter à l'avant-garde du Royal Court ou transcender le concept de *membership* en dehors des sentiers battus. Sa sœur des quartiers nord et sud de Kensington et de Knightsbridge est un peu plus frime, un peu plus fric. Cela dit, dépenser 1 500 ou 3 000 euros par mois en fringues chez Harvey (Nichols), en fleurs chez Moyses Stevens ou en lingerie chez Coco Ribbon ce n'est, après tout, qu'une question de nuance, non ? Cette pintade-là adore ce qui est rose, ce qui brille. Elle a aussi un amour inconditionnel pour les *pets*, ces petits animaux domestiques qu'elle appelle ses « chéris ». Et puis, *last but not least*, il y a la *It Girl* rock et choc, celle de Notting Hill, plus Madonna et Stella McCartney que duchesse de Cornouailles. Très design, très (victime de la) mode ou, au contraire, créatrice de nouvelles tendances, on veut dire *fashion victim* ou *trendsetter*. La *It Girl* essaie tout ce qui sort, collectionne tout ce qui est nouveau (et neuf). Elle travaille rarement, c'est une héritière, une star ou la concubine d'un homme riche et influent. Elle aime se montrer et se retrouver dans les magazines people (on dit « célébrités » en anglais). Les *It Girls* n'ont qu'une seule devise : « *You've got IT or you don't, darling. And if you have it, flaunt it!* » Bref, « Tu l'as ou tu l'as pas. Et si tu l'as, étale-le ! »

Politiquement, elle s'abstient, toujours trop occupée qu'elle est pour voter, ou alors elle fait comme papa et vote conservateur. Côté lecture, elle adore les magazines de mode (ne lui parlez pas de littérature, c'est tellement *passé*) et la presse *trash* des tabloïds. Oui, elle a un côté crypto-aristo-fasciste : la décadence, c'est son truc.

Membership attitude

Une pintade à Londres, quelle qu'elle soit, appartient à un quartier, un milieu, un réseau et donc à un club, ou plutôt à une kyrielle de clubs dont, suivant la grosseur de son porte-monnaie et l'étendue de ses relations, elle devient membre privilégié.

À Londres, le *membership*, autrement dit le fait de devenir membre d'un club, est un rite de passage ou passage obligé. À moins, évidemment, de faire de la non-appartenance à tout club un principe, un *statement*.

Il m'a fallu un certain temps pour bien comprendre que ce système ne consiste pas seulement en un système économique comme, chez nous, les cartes de fidélité. Non, c'est bien plus que cela. C'est un mode de pensée, une façon d'envisager la vie et les relations sociales. Seule une société aussi conservatrice, une société qui n'a connu ni révolution ni séparation nette entre l'État, la monarchie et l'Église, pouvait se régaler d'une organisation reposant sur la ségrégation sociale.

La *membership attitude* n'a en effet rien de démocratique. Au contraire, elle montre sa volonté de se distinguer du lot commun et d'appartenir à une tribu bien particulière, où l'on est sûr de se retrouver « entre soi ». D'ailleurs, la définition de l'*Oxford Dictionnary* est claire : un membre est *a distinct part of a whole*, autrement dit, une part distincte d'un ensemble. Et pas n'importe quelle part dans l'ensemble, oh non, tout est là : il s'agit de prouver que l'on n'est pas n'importe qui mais bien *the one*, celle ou celui que l'on remarque.

La *It Girl* est née dans un milieu où l'on ne côtoie que des membres et où, partout où l'on va, l'accès est réservé aux *members only*. La vie en accès libre, elle ne connaît pas. Oh, bien sûr, il lui arrive d'aller s'encanailler avec ses copines dans les pubs du quartier (de préférence des gastropubs, toujours bien fréquentés, je vous rassure). Oui, elle a parfois de ces envies incontrôlables, comme celle de descendre une pinte de Guinness et de côtoyer des inconnus dont elle ne sait même pas à quels clubs ils appartiennent. Inouï, non ?

Petite, elle accompagnait son papa à son club, un club dont le *membership* est, encore aujourd'hui, bien souvent interdit aux femmes (voir *Men only*). C'est le cas du Garrick, où Jade, petit bout de femme brune aux yeux verts de 29 ans à qui son oncle chéri (un homosexuel sans enfants) vient d'offrir une Lamborghini d'occasion, m'a un jour emmenée. Les clubs londoniens historiques comme le Garrick ont souvent des spécialités. Celui-ci, fondé en 1831, était à l'origine surtout fréquenté par les comédiens et tragédiens de l'époque. Le fameux Kean, figure de légende du théâtre anglais du XIXe siècle sur lequel Marcel Carné et Jacques Prévert ont copié le personnage de Frédéric Lemaître, interprété par Pierre Brasseur dans *Les Enfants du paradis*, a son portrait, trônant au milieu de l'escalier de bois verni.

Men only

Sans même parler d'égalité des sexes, le moins que l'on puisse dire c'est que la mixité a du mal à faire son chemin dans les *gentlemen's clubs* londoniens. Comme leur nom l'indique, les femmes en étaient traditionnellement exclues. L'accès du White's, le plus ancien club – fondé en 1736 – qui compte de nombreux membres de la famille royale, reste aujourd'hui *men only*. Et il est loin d'être le seul ! Quand elles sont tolérées, les femmes sont au mieux « membres associés » et non *full members* de ces cercles privés. Comprenez qu'elles doivent parfois entrer par la porte de service et qu'elles n'ont pas accès à toutes les salles, notamment au bar. Une misogynie confondante qui a jusqu'ici

Au Garrick, comme dans tout club traditionnel de Londres, il faut montrer patte blanche au concierge en livrée : se présenter, sourire, utiliser son anglais le plus châtié. Vous aurez ainsi gagné d'être traité avec la plus invraisemblable déférence. Mais jusqu'où ira la politesse anglaise ? songe-t-on après avoir écopé du *Ma'am*, contraction obséquieuse de *Madam* utilisée notamment pour s'adresser à la reine. *Papa* nous attend au premier étage. Grand escalier majestueux de bois. Nous montons à pas feutrés sous les yeux méfiants de Kean. Là, deux salons s'offrent à nous. Tout d'abord, la salle de lecture garnie des journaux du jour fixés sur des portants de bois en loupe de hêtre, de quelques fauteuils club, bien sûr ; les murs sont lambrissés et le parquet recouvert de tapis persans. Je m'élance vers le quinquagénaire et m'écrie : « *How are you, David !* » Catastrophe, j'ai parlé. J'ai prononcé quatre mots à un niveau sonore de plus de 15 décibels, soit plus fort que le bruit que fait un cigare Cohiba quand on l'allume. *Shocking, dear !* Je lis l'horreur dans les yeux de Jade et sens un embarras insondable chez son père. Quant à ses compagnons de lecture, ils me fusillent de leurs sourcils froncés en accent circonflexe. J'ai commis une faute irréparable, je le crains. Peut-être pourrais-je m'arrêter de respirer pour leur dire combien je regrette ce qu'ils nomment, en français dans le texte, un *faux pas*. Je ne dis plus rien et suis, penaude, père et fille qui fuient les regards inquisiteurs dans le salon d'à côté, une gigantesque galerie, dont la décoration, similaire à celle du salon de lecture, n'a pas bougé depuis 150 ans. Là, pour se remettre de ses émotions et pour oublier ma honteuse gaffe, papa David commande du champagne. Il arrive dans des timbales en argent. Jamais vu ça. « C'est une spécialité du Garrick. Nulle part ailleurs, vous ne boirez du champagne dans une timbale en argent. Leur service date d'ailleurs du siècle dernier. » Pourquoi une timbale ? « Sans doute pour en boire plus ! », se risque David, habillé d'un impeccable même si légèrement élimé (c'est plus chic) costume en velours côtelé couleur tabac taillé sur mesure chez Herbie Frogg de Jermyn Street.

La membership attitude se « démocratise »

Elle touche aujourd'hui tous les milieux ou presque (mais pas encore la *working class*). Plus besoin d'être riche, on peut devenir membre de son cinéma local pour bénéficier d'« avantages exclusifs » et de réductions (dites *concessions*). Ainsi, bon plan, la pintade *high brow et high art* de Bloomsbury peut devenir membre du National Film Theatre (cinémathèque de Londres) pour £ 20 seulement et obtenir des séances gratuites et des réductions à toutes les projections. Le *membership* de la pintade pauvre, mais le *membership* quand même !

Si Jade aime toujours autant accompagner son père à l'opéra de Covent Garden puis souper à son club et boire du champagne dans une timbale, elle aime également renouveler les traditions. La toute nouvelle tendance chez la *It Girl* : devenir membre des plus beaux musées-restaurants-cafés-bars-boutiques de la capitale.

Car la *It Girl* adore l'art, pas pour le regarder bien sûr, plus personne ne fait ça, mais pour en être entourée. Après tout, elle aussi est une œuvre d'art à sa façon. Elle travaille bien assez dur son apparence comme ça et dépense tous les jours, même le dimanche, scrupuleusement, son héritage et l'argent de son fiancé fils de lord ou banquier à la City. Pour la *It Girl*, le musée a une grande utilité, mais uniquement s'il possède de belles salles de réception pour ses membres et un beau restaurant-café-bar. Parfait pour se voir entre amies et en famille, inviter *grandma* à prendre le thé et James à boire un mojito avant d'aller dîner chez Sketch (en espérant terminer dans l'objectif de l'un des nombreux paparazzi qui planquent devant le restaurant *hip* de Pierre Gagnaire et de Mourad Mazouz).

À la différence de la pintade *posh* qui préfère les clubs professionnels (comme le Groucho Club ou Soho House pour celles qui travaillent dans le show-business ou la pub), la *It Girl* aime le vernis artistico-culturel un rien bohème de ces musées-boutiques-clubs. Elle est prête pour cela à sortir de ses quartiers de prédilection. Après tout, il lui faut bien quelques bouées de sauvetage quand elle s'aventure en dehors de son territoire.

À l'ouverture de la Tate Modern en 2000, dans le quartier *up and coming* de London Bridge, Jade a tout de suite payé sa cotisation de membre exclusif à £89. En plus d'entrées gratuites aux grandes expositions, elle bénéficie d'un accès pour deux personnes au salon privé du quatrième étage. Elle m'y emmène un dimanche à l'heure du brunch. Pour bien montrer la frontière entre le commun des mortels et les *happy few*, la porte du salon est gardée par un gorille. Jade montre sa carte de membre exclusif, le gorille baisse la garde et nous ouvre grand les portes de ce « royaume enchanté ». D'entrée, la vue sur la Tamise nous coupe le souffle : la cathédrale St. Paul nous fixe droit dans les yeux et le Millenium Bridge semble couché à nos pieds. Jade s'installe dans l'un des canapés ultramoelleux de cuir marron placés en face des grandes baies vitrées. Nous sommes comme au cinéma : à contempler le spectacle de la Tamise sillonnée en permanence par navires, vedettes et remorques en tout genre, sans oublier les bateaux Spoutnik du Met, la police de Londres. Un bar propose des formules petit déjeuner et brunch du dimanche. *Nec plus ultra*, *The Observer*, l'un des meilleurs journaux dominicaux, en piles nettes, s'offre littéralement à nous.

Garrick Club de papa ou Tate Modern, juste une différence de style mais la philosophie est la même, résumée par Jade dans un élan shakespearien : « *To belong or not to belong…* »

Devenir membre : mode d'emploi

Devenir membre de l'un des clubs historiques de Londres, comme White's, Boodles ou Reform Club, oubliez tout de suite, c'est impossible, à moins d'épouser le prince William, et encore. Pour les autres, du genre Cobden Club, Soho House, etc., c'est le parcours du combattant, mais pas une mission totalement impossible. Il vous suffit de connaître la bonne personne, déjà membre, qui vous recommandera à l'*admission's committee*. Vous aurez ainsi l'insigne honneur d'être inscrite sur la liste d'attente (certaines durent plus de 20 ans, d'autres seulement 6 mois). Un jour, miracle, vous serez invitée à vous joindre aux privilégiés. Un conseil, devenez *overseas member*, membre non résident, il vous en coûtera légèrement moins, à savoir la bagatelle de 1 000 euros par an (minimum) pour les clubs professionnels de Soho. Cela dit, vous pouvez aussi dire non à ce snobisme !

Art & food

L'avantage de devenir membre d'un grand musée à Londres est l'accès « exclusif » (on l'aura compris, la *It Girl* adore ce mot qui ne veut rien dire, hormis « exclure les autres » !) à son café-bar-restaurant où sévit parfois un grand chef. Si le restaurant de la Tate

Modern, au septième étage de cette grosse turbine à gaz, laisse fortement à désirer, malgré une vue splendide, il n'en va pas de même au Blueprint Café, restaurant du ravissant Design Museum, un kilomètre à l'est sur les quais sud de la Tamise. La *It Girl* s'arrache chaque midi l'une des tables très prisées avec vue plongeante sur la tour de Londres, et le Gherkin en *background* (le gros concombre, belle tour phallique signée Norman Foster). Aux fourneaux, le chef Jeremy Lee, un ex de Bibendum, restaurant français de South Kensington niché dans un ancien garage Michelin du début 1900, fait des merveilles : de belles salades l'été, des soupes au céleri et stilton l'hiver. Simple et bon.

Floating beauty

Depuis que Leslie, une connaissance *sloaney,* m'a parlé de Float, je n'arrête pas d'y penser. Un jour, quand j'aurai la tête à l'envers, un gros chagrin d'amour ou bien décroché une interview exclusive avec le fantôme de Diana, j'irai, oui, je m'offrirai une heure de *floating*.

« C'est incroyable, tu flottes pendant une heure dans le noir, à l'intérieur d'une bulle hermétique. La sensation est inouïe », me confie Leslie. Elle me vante également le lieu, une ancienne pâtisserie française nichée dans le quartier de Notting Hill et transformée par une jeune Australienne, Roz Sullivan, en institut de beauté et centre de yoga fondés autour du concept du *floating*.

Les origines du floating

C'est un neurologue californien, le docteur John C. Lilly, qui, dans les années 1950, met au point le premier caisson de flottaison. Il mène des recherches sur la relaxation et les relations entre cerveau, stress et bien-être. Autrement dit, comment débrancher pour pouvoir recharger ses accus. Il découvre les bienfaits de la flottaison pour le corps et l'esprit. Ses *tanks, pods* avant l'heure, ont un succès fou auprès de ses amis californiens, surtout dans les années 1960, à l'heure du LSD… Plusieurs centres ouvrent leurs portes aux États-Unis, mais le sida, à partir des années 1980, relègue aux oubliettes l'invention de Lilly. On a peur alors d'attraper le virus en partageant la même eau de bain. Depuis un peu moins de dix ans, le *floating* a refait son apparition, troquant le glauque pour le glamour. Londres compte aujourd'hui de nombreux centres de flottaison.

Un matin, la tentation est trop forte, je craque et compose le numéro de Float. Rendez-vous est pris trois jours plus tard, samedi matin à 10 h 30, pour une heure de flottaison suivie d'une heure et demie de massage. Carrément. Roz m'envoie par e-mail les recommandations d'usage : ne pas se raser le jour du *floating* car l'eau saturée de sels peut piquer la peau, arriver sans maquillage, ne pas boire de café ou tout autre excitant pendant les quatre heures précédant la flottaison. Prévoir une journée de travail « très légère » car le *floating* détend et libère les toxines de l'organisme. Enfin, arriver un quart d'heure en avance pour boire une infusion et se préparer mentalement.

Samedi 9 heures, je suis excitée comme une puce à l'idée de flotter. J'ai appris la veille que Gwyneth (Paltrow) et Stella (McCartney) étaient déjà des *regular*, des clientes fidèles de Float. Bigre, le centre n'est pourtant ouvert que depuis six mois. J'arrive quinze minutes en avance pour me mettre en condition. Bridstow Place est une petite allée dont Londres a le secret, à deux pas de Westbourne Grove, artère vitale et commerçante reliant Queensway et le quartier de Bayswater à celui de Notting Hill. Bridstow Place se compose de petites maisons alignées les unes après les autres, à l'abri des regards indiscrets. Maisons de poupées se monnayant à prix d'or sur le marché de l'immobilier.

Une jolie porte couleur framboise écrasée. Roz m'accueille, sourire aux lèvres. La jeune femme blonde, en sari bleu et tongs noires, m'invite à me déchausser et me tend de jolies mules de thalasso à picots violets. Une autre jeune femme, toute aussi fraîche et aimable, me tend un verre d'eau. Je m'assois avec cinq autres personnes dans un couloir-salle d'attente. Parquet clair, murs mauves, le soleil baigne l'ancienne pâtisserie d'une atmosphère douce et voluptueuse. Je remplis un questionnaire sur mon état de santé et mes antécédents familiaux.

Le moment fatidique approche. Roz me conduit au premier étage, et m'installe dans la pièce Cherry Blossom (Cerisier en fleur), « ma préférée », me dit-elle. Une pièce d'environ 12 m², avec une douche design en inox brossé dans un coin et le fameux *pod*, autrement dit pois, qui trône au milieu. Pois ? On pourrait tout aussi bien dire coquille ou œuf. Ouvert en deux, le *pod* ressemble à une grosse baignoire de forme arrondie, éclairée de l'intérieur. Roz m'explique la procédure : « Rincez-vous d'abord sous la douche, cheveux compris, puis séchez-vous le visage et les mains. Entrez nue dans le *pod*, c'est mieux. Et laissez-vous flotter. Quand vous êtes prête, avec le bouton noir sur votre gauche, fermez la porte de l'œuf qui s'abattra tout doucement sur vous, puis éteignez la lumière avec le bouton blanc. Vous entendrez de la musique pendant environ 10 minutes. Quand une heure sera passée, nous éclairerons la pièce et lancerons à nouveau la musique. Prenez votre temps. Quand vous êtes prête, laissez pendre ce papillon à l'extérieur de la porte, nous viendrons alors vous chercher pour votre massage. »

J'essaie d'assimiler toutes ces informations. Je vérifie auprès de Roz qu'une fois refermé, l'œuf peut s'ouvrir à loisir d'une simple pression du doigt. Oui, ouf. J'aime bien l'idée d'être blottie dans un œuf, mais pas prisonnière d'un tombeau flottant. La lumière aussi peut s'allumer de l'intérieur. On ne sait jamais, un soudain coup de blues, la peur du noir de mon enfance. Bref, tout va bien.

Roz me souhaite un *good floating* et disparaît. Me voici seule avec le *pod*. Hum. Je me déshabille et entre dans la douche. Voyons, voyons, pour se rincer, un gel de bain de Living Nature et pour les shampoing et démêlant, nous avons droit aux produits John Masters. Produits américains *organic*. Roz semble connaître son affaire. Un bon point, je suis en confiance.

Nous y voici : « À nous deux, *pod* ! » J'y mets un pied, puis deux, m'assois, m'allonge, et hop, comme à la mer Morte, me voici littéralement soulevée. Et je flotte ! Incroyable. La musique commence à envahir le *pod*. *Mort à Venise*, je veux dire, Mahler, symphonie n° 3. Suivie de *L'Odyssée de l'espace* de Kubrick, enfin, Johann et Richard Strauss. Zut, c'est un CD de musiques de film, je vais m'amuser malgré moi à reconnaître chaque morceau. Pas très bon pour la relaxation.

« OK, ferme les yeux, respire profondément, essaie de te mettre en condition », me dis-je. À £50 la séance (75 euros), autant s'appliquer. Moment décisif, j'appuie sur le bouton noir. Le *pod* se referme sur moi. « Ça va ? Comment tu te sens ? » Je me parle. « Ça va, je crois », je me réponds. Pas de sueurs froides ? Non. La petite lueur au fond du *pod* et la musique apaisent toute crainte. Après quelques minutes, j'éteins les feux avec le bouton blanc. Nuit noire.

Je découvre une étrange sensation. L'eau laisse comme un filet de miel chaud sur la peau. Ce sont en fait les sels qui lui donnent cette sensation onctueuse, presque huileuse. Il faut désormais que je me relaxe complètement. Mon cerveau pourtant est toujours branché, j'analyse mes sensations, je mesure chaque seconde ma pulsation sur l'échelle de Richter de la claustrophobie. Une douce chaleur m'envahit, mais l'air semble se raréfier. Très bien, j'ouvre à nouveau le *pod*. Après tout, je fais ce qui me plaît. Et hop, une pression sur le bouton noir. Je laisse entrer l'air frais pendant quelques minutes et je referme. Je rallume également la petite veilleuse à plusieurs reprises. Bref, je m'amuse avec le matériel alors que je devrais faire le vide en moi. Et puis, et puis, tout arrive, je finis par me laisser aller. Miracle, je m'endors. La musique se fait à nouveau entendre, les *Gymnopédies* de Satie me réveillent en douceur. Fabuleux : j'ai vraiment dormi.

Je m'extirpe doucement de mon *pod* et me dirige vers la douche, shampoing, rinçage, tout va bien, je plane. Au point d'avoir presque le vertige. C'est puissant ce truc ! Roz aurait-elle mis quelque chose dans l'eau ? J'enfile un immense peignoir blanc et accroche le papillon à ma porte. Roz arrive presque immédiatement : « *How was your floating?* », me demande-t-elle. « *Fab* », je lui réponds, encore en transe.

Au rez-de-chaussée, dans une petite pièce couleur tabac, Jane Logan, ma masseuse pour 90 minutes, m'invite à m'étendre nue sur une table et me recouvre de longues serviettes chaudes. Une musique tibéto-amazonienne jaillit de dessous la table, des mains hui-lées commencent à remonter le long de ma colonne vertébrale, à la fois douces et fermes. Je flotte, mais cette fois-ci, c'est dans ma tête. Jane, jolie grande brune de 33 ans, est une pro du massage lombaire et crânien. Elle revient des États-Unis où elle a exercé dans l'île de Nantucket au large du Massachussetts, île connue pour ses spas et prisée des patriciens bostoniens. Sa voix et ses gestes sont doux et précis. Et voilà, je m'endors, à nouveau. Le bruit d'une cascade d'eau me réveille une heure après. Jane me tend un grand verre d'eau tandis que Roz me prépare une infusion de thé vert. Je ne veux plus partir. Bienvenue au paradis !

Folles de leurs pets

Les Britanniques, et les Londoniennes en particulier, adorent les *pets*. Quand elles ne signent pas des péti-tions contre la vivisection, elles s'inscrivent au cours de *doga*, yoga pour chiens, maîtres et maîtresses. But de l'opération : « respirer en harmonie avec son *pet* ». Fondamental. Les vraies folles de *pets* sont souvent des filles de la haute ou alors des oisives au porte-monnaie bien garni. Car la *petmania* occupe et coûte cher. C'est peut-être d'ailleurs l'objectif.

Aux animaux, la Grande-Bretagne reconnaissante

Saviez-vous que depuis 2005, au coin de Brook Gate, sur Park Lane, se dresse un monument dédié à la mémoire des millions d'animaux ayant participé aux différentes batailles et guerres des siècles derniers ? L'œuvre du sculpteur David Backhouse montre une horde de vaillants animaux-soldats : mule, cheval, chien, chameau, éléphant, pigeon et même luciole (je suis très sérieuse : les lucioles servaient d'éclairage aux soldats dans les tranchées). Les Britanniques estiment à 8 millions le nombre de chevaux tués durant la Première Guerre mondiale. À quand le premier ver luisant anobli par la reine ?

J'ai réalisé le fossé qui nous sépare de ces folles de *pets* lors de ma rencontre avec May. Après une heure passée avec cette héritière, fille à papa et fille à chienchien, je ne savais pas s'il fallait pleurer ou rire.

May n'a pas d'âge. Ce grand brin de fille, mince, cheveux longs et raides décolorés platine, ongles longs fuchsia, vêtue d'un jogging en tissu éponge rose assorti, ressemblerait plutôt à une poupée Barbie grandeur nature. Avec une réelle inquiétude dans le regard. On lui donne, allez, 38 ans. May vit seule dans une petite maison près de Cadogan Square, adresse très « exclusive » comme on dit à Londres. Seule, non, May ne vit pas tout à fait seule, mais avec Bella et Casper, ses deux petits amis de compagnie : deux chiens-bonzaïs. L'un couleur crème, l'autre couleur encre noire. Ne demandez pas la race, je n'y connais rien. Pour moi, un toutou est un toutou, il est petit ou gros, noir ou marron.

Je me retrouve un jour, par hasard, invitée dans la vie de May. « Un peu spéciale », m'avait-on prévenue. « Surtout, dis-lui que tu adores les *pets*, sinon, elle va se fermer comme une huître. » Dans sa maison située au fond d'un *mew*, l'une de ces impasses autrefois réservées au parking des voitures attelées, May dispose de deux chambres : une pour elle, et une pour Bella et Casper.

Dans la *doggies' room* (la chambre des chienchiens), deux petits lits, des poupées mâchouillées, et deux armoires d'enfants. À l'intérieur, les « vêtements » des chiens.

May vient d'acheter chez Harrods un pull en cachemire impression losange, façon chaussettes Burlington, pour Bella. 75 euros. « Pour un adulte, c'est beaucoup plus cher ! », dit-elle comme pour se justifier. Aujourd'hui, Bella porte une robe à volants. « C'est mignon, non ? » Dans un cas comme celui-ci, on a toujours du mal à trouver les mots justes.

May me demande si j'ai des *pets*. « J'avais un poisson rouge quand j'étais petite mais, non, je n'ai pas de *pets*. » Je l'ai déçue, c'est certain, je le vois sur son visage. « Ah, oui, c'est vrai qu'en France, vous préférez manger les animaux », se souvient-elle soudain, avec horreur. Comment expliquer à May que le cheval, c'est bon pour combattre l'anémie. Hé oui, c'est vrai qu'au pays des boucheries chevalines, les animaux, certains les aiment mieux dans leur assiette que dans la chambre d'amis.

Sheepdog shows

C'est le programme télé favori des pintades seniors : les compétitions de chiens de berger. Oui oui, comme dans *Babe le cochon.* Des *gentlemen farmers* venus de tout le pays se retrouvent, une fois par an, avec leurs chiens et leurs troupeaux pour les championnats de chiens de berger. Deux fermiers commentent avec solennité l'événement, retransmis par la BBC, et font monter le suspense. « Ah, Shep a raté son virage, non, une brebis s'éloigne du troupeau, ohh, Shep va avoir beaucoup de mal à rattraper son retard. » Les règles sont assez simples : le chien doit faire rentrer un troupeau de moutons dans un paddock en suivant un parcours défini, en un minimum de temps. Le fermier, une baguette à la main, guide son chien à coups de sifflet. Shep court comme un dératé, saute, pince le derrière des moutons pour les faire accélérer. Ça aboie et ça bêle. De quoi faire glousser la pintade.

L'industrie du *pet*, en plein boom, a représenté en 2005 plus de 3,8 milliards de chiffre d'affaires. Bientôt, dans trois ans disent les experts, les Britanniques devraient rattraper les Américains, maîtres en la matière. Le marché se développe dans toutes les directions. Chez Pets at Home (voir Tips), les rayonnages d'alimentation *premium* (« *premium* » veut dire « cher » en jargon marketing) pour animaux domestiques s'alignent sur des kilomètres. On peut ainsi y trouver des *Mediterranean casseroles*, autrement dit, des ragoûts aux épices provençales, pour les *puppies* (chiots) entre 2 et 3 mois. May, elle, cuisine spécialement pour Bella et Casper : « Je ne veux pas qu'ils aient une alimentation uniquement précuisinée ou lyophilisée. Je leur fais régulièrement du poulet fermier, ils adorent ça. » Quand je lui demande pourquoi elle se donne tellement de mal, elle répond : « Ils sont ma famille. Vous n'essayez pas de donner le meilleur à votre famille, vous ? »

Casper semble traîner de la patte gauche. « Il fait de l'arthrite chronique, le pauvre chéri. Mais je l'emmène toutes les semaines faire de la rééducation aquatique et de l'hydrothérapie en piscine spécialisée. » Coût de l'aquagym canine : £ 181 par mois. « L'assurance me rembourse les trois quarts », précise-t-elle. Aujourd'hui, un quart des animaux domestiques britanniques sont assurés. Un marché annuel de 265 millions de livres. Le voisin de May, vétérinaire, estime que les propriétaires de *pets* attendent davantage de la médecine car, grâce aux assurances, ils ont les moyens d'investir plus. « On opère les chiens pour les munir de pacemakers, on leur remplace les hanches quand ils sont vieux. Comme pour les humains. »

> ### Pet-à-porter
>
> Harrods organise une fois par an son *canine fashion show*, un défilé de mode canine. Beaucoup de célébrités s'y rendent avec leur toutou, poursuivies bien sûr par les *pupparazzi* (*puppies* signifiant « chiots » en anglais, comprenez paparazzi de chiots). Il vous en coûtera £25 pour assister au défilé mais vous pourrez partir avec le *dog-a-logue* (ah, ah !, et non le catalogue).

May a entendu parler du défilé de mode annuel que Harrods organise pour ses clientes folles de *pets*. Elle a repéré dans un *fashion magazine* (pour quadrupèdes) une veste pour chien signée Vivienne Westwood à £550. « *If you're a good boy*, dit-elle à Casper, ce sera ton cadeau de Noël. » Cela fait cher pour un chien, j'ose lui demander. « Oui, avec ça, je pourrais m'offrir une semaine de vacances. Une semaine, c'est vite passé. Là, je lui fais plaisir, et la veste dure plusieurs années. » Un argument imparable.

WAGs

Au pays du sexe et du foot, pas un jour sans qu'elles ne fassent la une des tabloïds. Les moindres faits et gestes des *WAGs*, les *Wives and Girlfriends*, comprenez les femmes et petites amies des footballeurs de l'équipe d'Angleterre, sont passés au crible. *The* modèle, évidemment, c'est Victoria Beckham. Avec son décolleté pigeonnant (son truc en plus, paraît-il, ce sont les faux *nipples* qu'elle glisse sous ses T-shirts moulants) et son look de bimbo, l'épouse de l'ex-capitaine (lui-même icône d'une espèce déjà *has been*, les métrosexuels) fait des émules chez les teenagers. À côté de l'ex-Posh Spice, les autres *footballers' wives* font ce qu'elles peuvent pour exister.

Lors de la dernière Coupe du monde, dès qu'une *WAG* mettait le nez dehors, une horde de paparazzi la suivait à la trace. Et quand elles sortaient ensemble, une dizaine de gardes du corps devait les protéger de la foule de journalistes et de photographes. Leur physique, leur maquillage, leur anorexie ou boulimie présumée, leur folie dépensière, leurs grimaces, leurs bourrelets, la marque de leurs bikinis, rien n'échappe aux commentateurs people. Victoria a porté deux fois le même short, note l'un d'entre eux, « n'a-t-elle donc rien à se mettre ? ». La copine d'Ashley Cole a dépensé des milliers de livres sterling dans les boutiques de Stuttgart en seulement 53 minutes, montre en main, un record ! La fiancée de Rooney, jeune prodige à la tête de bouledogue, remporte le prix des lecteurs du plus beau bronzage… Les tabloïds racontent que la hantise des marques de haute couture, c'est qu'une *WAG* apparaisse avec une de leurs créations dans un magazine. Ça peut démolir une réputation de *It bag*.

Les froufrous de Coco Ribbon

Elle n'en a pas toujours que pour ses *pets* adorés, vêtus de jaquettes en cachemire signées Harrods. La *It Girl* pense parfois aussi à elle. En fait, elle ne fait que ça. Quand elle a un chagrin ou, au contraire, quand elle est heureuse, elle n'a souvent qu'un seul et unique réflexe : dégainer sa carte de crédit et s'adonner à la thérapie du shopping, *retail therapy* dans la langue de Shakespeare. C'est bon pour tout, ça lui donne de l'énergie, une raison d'être et souvent même un sens à sa vie. Parmi les centaines de boutiques de Kings Road, Chelsea et Knightsbridge, une la botte en particulier. C'est Coco Ribbon, sur Sloane Street.

« Coco Ribbon, c'est bien plus qu'une boutique. Pour moi, c'est un univers, une philosophie », déclare Harley, 28 ans, assistante personnelle d'un député conservateur en vue, petite brune toujours pressée. On ne l'avait jamais entendue prononcer le mot « philosophie », cela doit être sérieux. Coco vend tout, bijoux, lingerie, vêtements, accessoires, livres, chandeliers, bougies, chaussures, objets pour la maison. Un concept de boutique-trésor, créé par deux filles, une sorte de *department store* de poche. « Ils ont même une designer, madame Sera, consultante en architecture d'intérieur. Je lui ai fait faire ma chambre. » Harley porte ce jour-là une robe Empire, froncée sous la poitrine et brodée de sequins dorés (une robe à 1 700 euros…), très frou-frou, féminin, sexy et un rien bohème. « Je m'habille de façon tellement classique dans la semaine pour accompagner mon patron, député tory, que le soir, pour les cocktails, ou le week-end, j'aime me métamorphoser en princesse orientale. »

Coco Ribbon s'est également fait une très bonne réputation de livraison en 24 heures top chrono de lingerie et autres cadeaux. « Leur emballage est superbe et ne coûte quelques euros! », s'écrie cette Londonienne toute ébaubie qui ne sait pas que partout ailleurs, notamment en France, l'emballage cadeau est gratuit.

Sa voiture : le black cab

Jenny, femme oisive à la trentaine surmenée, toujours habillée en beige ou en marron glacé, fine laine d'agneau, coton fil d'Écosse ou cachemire selon la saison, ne se déplace qu'en *black cab*. « J'ai horreur des transports en commun. Mon bus à moi est noir et se hèle dans la rue. Je peux tout faire avec un *black cab* : y installer cinq amies et tout notre shopping, deux vélos, la poussette de mes jumeaux, des meubles achetés chez les antiquaires de Pimlico, ou déménager en quelques voyages », affirme-t-elle en bonne *Sloaney* qu'elle est. Pas étonnant qu'une voiture qui a été conçue aussi spacieuse et surtout aussi haute de plafond pour, à l'origine, pouvoir accommoder un aristo en chapeau haut-de-forme, plaise à une *It Girl*. Jenny a raison, le *black cab* est fait pour elle.

Tips

Ne surtout pas confondre les *black cabs*, ces taxis bonbonnières noirs si reconnaissables que l'on hèle, avec les *mini cabs*, voitures banalisées, l'on doit appeler exclusivement au téléphone et dont les chauffeurs n'ont passé aucun examen. Parfois même, ils n'ont pas leur permis ! C'est Margaret Thatcher qui a permis la dérégulation du marché dans les années 1980, créant ainsi deux genres de taxis, les assermentés d'un côté, et les taxis parfois sauvages de l'autre. Bien se renseigner auprès de ses amis du quartier pour savoir quelle est la société de *mini cabs* la plus sérieuse et négocier le tarif de chaque course comme un marchand de tapis. Si l'on a peur de toutes ces histoires de chauffeurs-violeurs lues dans les tabloïds, appeler les *pink taxis*, taxis roses pour femmes conduits par des femmes. On peut aussi réserver par téléphone ou Internet son *black cab* (www.londonblack-cabs.co.uk).

Après quelques mois de vie à Londres, on commence à comprendre son point de vue. C'est un outil formidable. Dommage qu'il coûte les yeux de la tête. Les distances sont telles à Londres qu'une course moyenne avoisine souvent les 30 euros (Mayfair-London Bridge par exemple). En plus de pouvoir y stocker belle-mère, *nanny*, poussette et vélo en une fournée, les *black cabs* sont conduits par des *cabbies* d'une rare politesse. Il faut dire qu'ils en ont bavé pour devenir *cabbies*. « Ce sont les aristocrates de la route, m'explique Jenny. Ils doivent passer un concours très difficile et apprendre par cœur toutes les rues de Londres. Cet examen se nomme justement *The Knowledge*. Et puis, avec près de 20 000 *cabs* dans le centre de Londres, on peut toujours compter sur eux, même en pleine nuit. »

Traditionnellement cockney, les *cabbies* parlent encore aujourd'hui un patois londonien, un peu comme Audrey Hepburn dans le célèbre film de George Cukor *My Fair Lady*. Contrairement à leurs collègues parisiens, les *cabbies* ont appris à mémoriser les itinéraires les plus courts d'un point à un autre lors de leur année d'étude intensive en vue du *Knowledge*. Mais ce qui nous fait vraiment craquer, c'est quand ils nous disent, dans leur accent inimitable : « *Jump'n, Luv!* » (Saute donc, ma belle).

Avant-gardiste en stilettos

Dans sa course éperdue aux nouvelles tendances, la *It Girl* s'intéresse (parfois) de près au théâtre et à ses nouveaux auteurs. L'avant-garde théâtrale, ça la botte, mieux, elle s'y connaît vraiment. Presque autant qu'en sacs Fendi et Mulberry, c'est dire. Si ses amis peuvent se désespérer de sa frénésie superficielle, ils sont toujours étonnés et ravis de constater qu'elle chasse autant le dernier *staple* – l'accessoire incontournable – que le dernier bon mot. Il faut dire qu'elle est vernie : la perle du théâtre britannique, du genre qui dérange et remet en question, trône au milieu de son territoire, sur Sloane Square exactement. Après quatre ans de rénovation et travaux en tout genre, le Royal Court Theatre a rouvert ses portes en 2001 et renoué ainsi avec une histoire riche en scandales et coups de poing.

Comment expliquer cet engouement pour le théâtre d'avant-garde de la part de Londoniennes a priori plus portées sur la mode et les soirées d'ivresse ? « Pour moi, c'est un peu différent car c'est mon métier de remarquer les talents qui émergent », explique Diane, une pin-up rousse de 27 ans, agente littéraire dans une « agence de talents ». « Mais la plupart de mes amies *sloaney* sont comme moi, elles préfèrent ce genre de théâtre, souvent physique et violent, au cinéma hollywoodien. »

Contrairement à la scène parisienne, l'avant-garde artistique londonienne ne se prend pas au sérieux, n'intellectualise pas. Elle mêle l'esprit punk, déjanté, provocateur à une physicalité étonnante. Les acteurs britanniques ont en effet l'habitude de s'investir dans leurs personnages de façon très charnelle. Ils apparaissent très souvent nus, miment des scènes d'amour avec une vraisemblance troublante ou encore se livrent à de véritables combats ou contorsions acrobatiques, entre la lutte antique et le mime. La première fois que l'on va au théâtre à Londres, l'expérience peut s'avérer choquante. Habitué à un théâtre plus bourgeois, on se sent tout à coup comme attaqué, gêné, provoqué, poussé dans ses retranchements.

Tips

Pour dénicher les classiques de demain, oubliez les théâtres du West End (théâtre commercial et grandes machineries musicales) et rendez-vous dans les salles du *Fringe* (en marge).

Diane me donne rendez-vous sur les marches du Royal Court Theatre, ce beau bâtiment de la fin du XIXe siècle. À l'intérieur, l'espace a été divisé en deux théâtres, le « théâtre du dessous », le plus grand, et le « théâtre du dessus », la salle-laboratoire. Diane me montre le chemin. Un petit escalier noir n'en finit pas de monter. De vieilles affiches jaunes et rouges portent les noms de John Osborne, Harold Pinter et David Hare. Nous arrivons au *theatre upstairs*, une salle de 60 places où amateurs en tout genre se pressent pour voir et écouter les premières pièces de très jeunes auteurs.

C'est dans cette minuscule salle sombre à gradins qu'au printemps 2006, pour le cinquantième anniversaire du théâtre, cinquante pièces emblématiques de l'évolution de la société britannique ont été lues tous les soirs. « Les gens se sont battus pour acheter des places. Pire qu'à la Coupe de monde de football », raconte Diane. « J'ai deux amies qui en ont vu respectivement 32 et 28 ! » Parmi les cinquante pièces, des brûlots devenus joyaux du répertoire comme *The Room and the Dumb Waiter* de Harold Pinter, et *Blasted* de Sarah Kane.

En 1966, le Royal Court a inauguré le festival des jeunes auteurs de moins de 25 ans dont le succès ne se dément pas. « Je suis toujours à l'affût de nouveaux auteurs et les théâtres comme le Royal Court mais aussi le Gate et le Bush nous mâchent le travail », témoigne Diane. Et puis, c'est aussi l'occasion de sortir ses Jimmy Choo. Bref, ce que notre *It Girl* appelle une *win-win situation*.

INTRODUCTION

Moyses Stevens – fleuriste
157-158 Sloane Street
London SW1X / 020 7259 9303

MEMBERSHIP ATTITUDE

Boodle's – gentlemen's club
28 St James' Street
London SW1
020 7930 7166

Design Museum
Son café : Blueprint Café où l'on peut déjeuner pour £ 45 à deux.
28 Shad Thames
London SE1
020 77378 7031
www.blueprintcafe.co.uk

Herbie Frogg – tailleur chic
18/19 Jermyn Street
London SW1Y
020 7734 2992

Kenwood House
Déjeuner pour deux : £ 26 au Brew House.
Le jardin du café-restaurant de ce très beau petit musée, renfermant des toiles de Rembrandt, Vermeer et Turner, offre une bonne cuisine *home-made* et *organic*.
Hampstead Lane,
London NW3
020 8341 5384
www.companyofcooks.com

National Portrait Gallery
Déjeuner pour deux : £ 42 au Portrait Restaurant. La vue que l'on a d'ici est étonnante, avec dans la même perspective : Trafalgar Square, Whitehall et Green Park. Snacks légers plus avantageux que les repas.
St Martin's Place
London WC2H
020 7312 2490

Soho House – club privé
40 Greek Street
London W1D
020 7734 5188

Tate Modern – musée d'art moderne
Membership (suivant les formules) : £ 50, £ 81 et £ 111.
Bankside
London SE1
020 7401 5020

The Cobden Club – club privé
170-172 Kensal Road
London W10
020 8960 4222
www.cobdenclub.co.uk

The Garrick Club – gentlemen's club
15 Garrick Street
London, WC2E
020 7836 1829

Wallace Collection

Traverser ce superbe musée ignoré du centre de Londres, à quelques pas d'Oxford Street. Le café-restaurant, Café Bagatelle, se trouve dans l'ancienne cour du petit palais patricien. Recouverte d'un ciel de verre, elle offre un havre de tranquillité aux visiteurs de passage. Menu à £ 20 pour trois plats.
Thé servi entre 14 h 30 et 16 h 30 (heure de fermeture).
Manchester Square
London W1
020 7563 9505

White's – gentlemen's club
37-38 St James' Street
London SW1
020 7493 6671

FLOATING BEAUTY

Float – flottaison relaxante
2A Bridstow Place, London W2
020 7727 7133
www.float.co.uk

FOLLES DE LEURS PETS

Pets at Home

Pets at Home, que l'on pourrait traduire par « le *pet* heureux chez lui » ou encore « la maison de l'animal domestique » constitue la référence *number one* en Grande-Bretagne. Avec 176 boutiques dans le pays, c'est la destination préférée des gagas de *pets*. Pets at Home, créé en 1991, offre en exclusivité les meilleurs (et plus dingues) produits venus du monde entier : de Pet Refresh (eau minérale aromatisée pour chiens, chats et lézards) au Cat evolutionary seat (lunette de toilettes spéciale chat pour qu'il puisse déféquer comme vous).

100 Blackheath Road
London SE18
020 8469 9130

LES FROUFROUS DE COCO RIBBON

Coco Ribbon – boutique concept store
133 Sloane Street, London SW1
020 7730 8555

AVANT-GARDISTE EN STILETTOS

Bush Theatre

Un autre joyau du théâtre contemporain britannique.
Shepherds Bush Green
London W12
020 7610 4224

Gate Theatre

Laboratoire de jeunes auteurs et de nouvelles pièces.
11 Pembridge Road
London W11
020 7229 0706
www.gatetheatre.co.uk

Royal Court Theatre

The théâtre d'avant-garde…
Sloane Square, London SW1
020 7565 5000
www.royalcourttheatre.com

Le questionnaire pintade

Sa coupe de cheveux préférée
Elle s'en fiche, l'important c'est le brushing et la couleur.

Son animal de compagnie préféré
Un corgi, comme la reine.

Son expression favorite
Tell me, dear…

Son juron, gros mot préféré
We are not amused.

Son Jules idéal
Le prince William à 40 ans.

Son livre de chevet
Marie-Antoinette par Antonia Fraser.

L'objet qu'elle emporterait sur une île déserte
Madame Butterfly de Puccini, dirigé par Herbert von Karajan et interprété par Maria Callas.

Son moyen de locomotion favori
La Range Rover de papa.

La personne connue qu'elle rêve d'avoir pour ami(e)
La princesse Michael de Kent.

La pintade posh posh posh, riche et classique

MAYFAIR

La pintade de Mayfair est une Londonienne *posh*, *posh*, *posh*, comprenez chic et riche, contrairement à l'ex-Spice Girl, aujourd'hui Mme David Beckham, qui n'est, elle, que riche, riche, riche. L'origine du mot *posh* pose tout de suite notre Londonienne. Il viendrait de l'acronyme *POSH*, autrement dit *Port Out, Starboard Home*, l'emplacement le meilleur, car le plus frais et à l'abri du soleil, à bord des bateaux de croisière qui faisaient le trajet Inde-Angleterre au temps des colonies. Cela dit, cette étymologie est discutée. Mais nous la garderons, car même erronée, elle qualifie tout ce que notre pintade de Mayfair représente dans un drôle de mélange dont elle a le secret : opportunisme, argent et savoir-vivre.

La pintade de Mayfair ne connaît guère l'entre-deux, elle est soit femme d'affaires de haute volée, tradeuse aux dents en acier trempé, soit oisive, fille, épouse ou concubine d'un milliardaire, lord ou baron de la City. Difficile de rivaliser, vous êtes prévenue. De toute façon, elle vole haut, carrément au-dessus de la mêlée. Ses amitiés discrètes la lient aux membres de l'aristocratie britannique et internationale, et aux princes de la finance.

Son chic n'est pas tapageur comme celui de la *It Girl*, il serait plutôt BCBG comme celui de la *Sloaney*, mais plus profondément ancré dans les traditions, et coûte encore plus cher. Pour ses chapeaux, c'est Philip Treacy ou rien. Pour ses robes et tailleurs, elle ne jure que par la designer *posh* par excellence, Caroline Charles.

Comme pour ses ancêtres avant elle, Londres n'a jamais constitué qu'une attache qu'il faut avoir, notamment pour être à pied d'œuvre quand la *season* commence. *The season ?* La saison des courses à Ascot, des courses de régates à Henley, sur la Tamise, de l'opéra à Glyndebourne, des vernissages à Bond Street et à la Serpentine Gallery à Hyde Park, entre autres réjouissances séculaires. Mayfair est, depuis toujours, le lieu de ses étapes londoniennes. Quand on dit que Londres et Mayfair ne sont pour elle qu'un pied-à-terre, c'est une métaphore, bien sûr. Elle y a hérité d'une maison de 5 étages d'environ 250 m^2 avec, souvent, des quartiers réservés aux domestiques de passage : majordome, chauffeur, *nanny*, intendante.

Mais pour elle, la vraie vie est ailleurs, sur les terres de papa, dans le Northumberland, par exemple. Notre *Posh Girl* n'est vraiment heureuse que lorsque, chaussée de bottes Wellington et vêtue d'un Barbour bien crotté, sous un crachin des plus régénérants pour sa peau de rose, elle rend visite aux écuries du domaine, et se souvient avec sa *grandma* des parties de chasse à courre, le fameux *foxhunting* aujourd'hui interdit après une rude bataille entre le gouvernement Blair et la Chambre des Lords. Ah, les chevaux, sa passion secrète. Elle aurait voulu être *world champion* comme la petite-fille de la reine, la princesse Zara. Le cheval, comme le chapeau signé Philip Treacy, un accessoire indispensable pour notre pintade *posh*. Madonna l'a bien compris, elle, cette *career woman* yankee qui a voulu se réinventer en lady anglaise et passe désormais tous ses week-ends en costume de tweed et à cheval sur les terres de sa belle-famille écossaise.

Politiquement, la lady *posh* vote Tory, c'est un automatisme, un réflexe conditionné qu'elle ne remet pas en question. Elle lit le *Daily Telegraph* et parfois le *Daily Mail*, pour s'amuser de ces terribles histoires de pauvres.

High tea

La *Posh Girl* prend le thé. Quand on dit « prendre le thé », on ne veut évidemment pas parler du sachet nonchalamment jeté dans une tasse sans soucoupe entre deux corvées ménagères ou deux dossiers à finir. Non, on parle ici du *high tea* ou *rich tea*, un repas en soi, pris dans les grands hôtels de la capitale ou chez soi, à condition d'être équipée de tout le tralala. Prendre le thé pour la *Posh Girl*, c'est un peu, pour nous, relire les exploits des batailles napoléoniennes, un événement qui donne de l'énergie et nous ramène, la larme à l'œil, deux cents ans en arrière.

La *Posh Girl* ne prend sans doute pas le thé tous les jours à 17 heures pétantes, comme ses aïeules, mais soyez sûres qu'elle respecte toutes les précautions et traditions d'usage. C'est d'ailleurs sans doute la seule à Londres qui aime passer (perdre ?) trois heures à cette cérémonie inventée par la duchesse de Bedford au XVIIIe siècle.

Quand elle n'est pas *posh*, la Londonienne prend aussi le thé, ou plutôt, elle ne le prend pas, elle le boit, descendant *mug* après *mug* (grande tasse à anse) d'un thé noir corsé rehaussé d'une lampée de lait. Même si la nation ne s'arrête plus comme un seul homme à *five o'clock*, le thé demeure la boisson nationale et tout un symbole de savoir-vivre. Quand une Londonienne a un chagrin d'amour, un problème avec son patron, s'est disputée avec sa mère, quel est son premier réflexe ? Se préparer une *nice cup of tea*. Presque tous les films anglais montrent cet instant de compassion et de communion nationale autour de la *cuppa*. Comme les personnages de Mike Leigh dans, par exemple, *All or Nothing*, se consolant de leur misérable inexistence à coup de gallons de thé au lait.

Quand elle est *posh* et la fille d'un marquis, comme la belle Charlotte, teint diaphane, long cou blanc sur un grand corps noueux, elle s'offre les services du Claridge's. Charlotte confirme : « Le thé est sans doute l'un des seuls rituels à transcender les classes sociales. Le préparer pour soi, l'être aimé ou le patron, constitue un cérémonial national. Il varie dans le style mais il dit toujours la même chose, quel que soit le milieu social : serrons les dents, continuons même si c'est dur, un peu de théine et de lait bien brûlant, et la machine repart comme en 40. » En France, c'est le p'tit noir qui remplit ce rôle dans la convivialité nationale. Pour nous, prendre le thé est un peu snob alors que le café fait plus viril, plus peuple.

Le *high tea* nécessite une certaine préparation physique et mentale. « Un conseil, commence Charlotte, ne rien manger à midi et ne prévoir aucun dîner après le *high tea*. C'est la collation la plus roborative que je connaisse. Je vais toujours à la piscine avant, et le lendemain matin. Personnellement, je ne mange pas pendant au moins dix heures avant un *high tea* et dix-huit heures après. » Il faut dire, Charlotte est mince comme un fil dans sa robe noire achetée chez un designer d'Anvers.

Mais pourquoi le nommer *high tea* ? Encore un détail de classe, un peu comme la France d'en haut et la France d'en bas de Raffarin ? Dans le mille : l'*afternoon tea*, accompagné de biscuits, est bourgeois, tandis que le *high tea*, forcément plus classieux, comme son adjectif l'indique, est un hobby aristocratique. Pour les ouvriers, le *tea*, sans adjectif, correspondait pendant longtemps au seul repas du soir, pris au retour du père de famille à la maison après son travail.

Acheter du thé : la meilleure adresse

Fortnum & Mason sur Piccadilly est, croyez-moi, ce qui se fait de mieux en matière de thé (en vrac et en sachet). Les vendeurs, en costume sombre, parlent un anglais digne de la reine. Leur obséquiosité fascine et irrite tout autant mais vaut le détour. La centaine de variétés de thé s'offre dans de très belles boîtes à collectionner. Ma préférée : la boîte de 250g de Keemun (en vrac), thé noir fameux de Chine. 10 euros. (www.fortnumandmason.com)

Après un déjeuner léger donc, je retrouve Charlotte à 16 heures dans le lobby du Claridge's. Trônant depuis le début du XIXe siècle sur Brook Street, au cœur du quartier de Mayfair, le Claridge's est depuis plus de 150 ans le *home away from home* de l'aristocratie européenne. En janvier 1860, la reine Victoria accompagnée de son sémillant prince consort, Albert, venait prendre le thé avec l'impératrice Eugénie de passage à Londres et établie tout l'hiver dans une suite au Claridge's.

Je suis en train d'admirer des photos de cette époque dans le hall d'entrée quand Charlotte fait son apparition. Le *porter* et le *bell boy* en livrée et gants blancs se précipitent vers elle avec la déférence d'un autre âge. Une troisième personne prend le relais et nous conduit au Foyer. Charlotte a réservé la semaine dernière : « Pour prendre le thé, il faut parfois réserver des semaines à l'avance, c'est insensé. Ici, ils connaissent ma famille, ce n'est pas trop un problème mais chez Brown's ou au Savoy où j'emmène parfois ma grand-tante Mildred, cela devient vraiment difficile. » En effet, le *high tea*, longtemps tombé en désuétude, fait un retour en force. « Oui, enfin, surtout avec les Américains, les nouveaux riches et les millionnaires russes », assène Charlotte avec condescendance.

À la table d'à côté, deux mannequins à l'accent polonais portent leur tasse en porcelaine de Chine avec la délicatesse de grands oiseaux sauvages mais se gardent bien de toucher à leurs tartelettes au citron. Dans ce décor cossu composé de petites tables rondes en loupe de hêtre, tapis moelleux, lumières tamisées et conversations feutrées, Charlotte passe commande de deux *high teas* avec du Earl Grey, ce thé aux essences de bergamote.

Le comte Grey (*Earl Grey* dans le texte), grand amateur du divin breuvage, n'en consommait qu'une sorte, celui qui porte son nom, un mélange que lui avait envoyé un ami mandarin chinois. Quand son stock arriva à épuisement, le comte Grey demanda à la maison Twinings – qui a toujours aujourd'hui sa boutique sur le Strand – de lui concocter un mélange identique. Le comte, qui fut également Premier ministre de 1830 à 1834, passa ainsi à la postérité non pas pour son programme politique mais pour ce mélange unique de thé noir de Ceylan et d'huile de bergamote.

Grand moment, le chariot arrive. Un service en argent et porcelaine fine se dessine sous nos yeux à un rythme des plus impressionnants : une théière chacune, deux pots de lait, deux pots d'eau chaude, deux passoires et leur reposoir, tasses en porcelaine, suivis d'un plateau, toujours en argent, à trois étages. Sur le dessus, des petits-fours variés, tartelettes aux fruits rouges, mini-éclairs, tartes au citron meringuées. À l'étage inférieur, fameux sandwichs sans croûte, au concombre et à la roquette, à l'œuf écrasé et au cresson, au saumon et aux câpres, au poulet et à la mayonnaise, et un dernier au jambon et à la moutarde. Encore en dessous, des *scones*, naturels et aux raisins, accompagnés de confiture de fraise, de confiture de thé et de *clotted cream* (crème fraîche très épaisse fabriquée dans le Devon et en Cornouailles).

Charlotte sait-elle combien de tasses de thé ses compatriotes boivent par jour ? « Je viens de lire un article sur le sujet, s'écrie-t-elle. Nous consommons 2,2 kg de thé par an et par personne, ce qui équivaut à mille tasses par an et donc pratiquement à trois tasses par jour. Mais la consommation décline depuis plusieurs années. En fait, nous consommons aussi beaucoup d'infusions aux plantes et aux fruits. Mon favori : gingembre et citron de Twinings. » En fait, le Britannique demeure le plus grand consommateur de thé au monde. Derrière le Turc.

Nous observons cette table admirablement apprêtée, un véritable tableau de maître hollandais. Vertige : sommes-nous au XXIe siècle ou avons-nous remonté le temps ? Allons-nous voir entrer Winston Churchill avec son gros cigare ? Quel raffinement, quel conservatisme ! Pas le temps de réfléchir, Charlotte me montre comment manger les *scones* : « Les trancher en deux dans le sens de la largeur, les tartiner de crème puis de confiture. Les tenir entre le pouce et l'index. » Ah, je défaille et je meurs à moitié. La première bouchée, arrosée d'une gorgée de thé brûlant, me catapulte tout droit au paradis.

Du reste, je ne me souviens de rien d'autre hormis que nous sortons 90 minutes plus tard, le ventre à terre

LES PINTADES À LONDRES **2** LA PINTADE POSH POSH POSH

comme un basset. Et que je ne mange pas pendant 24 heures. Charlotte avait raison. Le *high tea*, « *it is quite an experience, dear* ».

Desert beauty

Notre *Posh Girl* a toujours eu du mal à faire confiance à ses compatriotes pour s'occuper de sa beauté. Ses voyages partout en Europe continentale l'ont convaincue, et sa mère avant elle, que seules les Continentales savaient s'occuper de « ça », ce corps avec lequel il n'est pas dans ses habitudes de vivre harmonieusement, trop *self conscious* qu'elle est de ses imperfections. La gym, oui, ça elle sait faire dans son club ou avec son *personal trainer* qui l'emmène courir à Hyde Park à l'aube. Mais la beauté, c'est une autre histoire, un peu trop *too close for comfort*. Cela dit, contrairement à bon nombre de ses concitoyennes, elle ne peut pas l'ignorer : elle se doit d'être à son top beauté, impeccable. Trop de cocktails, trop de soirées dans son emploi du temps.

Pendant longtemps, notre *Posh Girl* prenait l'avion ou l'Eurostar pour aller se faire pomponner à Paris ou ailleurs en France, comme Sarah, 34 ans, belle blonde oisive, fille d'un banquier anglais et d'une reine de beauté indienne : « Les instituts de beauté à Londres ont longtemps constitué une incongruité dans le paysage urbain, impossible à trouver et totalement *tacky* ou alors carrément *over the top* et hors de prix pour un service d'une médiocrité à pleurer. J'ai pris l'habitude d'aller à Paris, où mes parents ont un appartement, pour me faire épiler, gommer, masser, coiffer, bref, pour me faire bichonner par des filles qui s'y connaissent. Elles ne rechignent pas, par exemple, devant une épilation maillot brésilien. Pour elles, c'est normal et elles s'appliquent. »

(Bien) se faire épiler, mission impossible

En règle générale, même les instituts de beauté haut de gamme, de ceux que l'on trouve dans les grands magasins comme Harvey Nichols et Selfridges, fournissent un service d'épilation très cher et de qualité très médiocre. Comptez plus de 120 euros pour le triumvirat demi-jambes, maillot, aisselles, exécuté à l'arraché par une esthéticienne qui vous recouvre le corps de serviettes pour s'épargner le spectacle de votre nudité tellement elle est gênée, et qui utilise la même cire fine pour les jambes et pour le maillot. Torture garantie. On en viendrait presque à conseiller à la pintade *posh* de faire comme la Londonienne *DIY* qui préfère se raser tranquillement dans son bain et jouer au chimiste à se décolorer la moustache à l'eau oxygénée comme faisait notre grand-tante Adèle. Ou alors, ériger l'aisselle velue en *fashion statement*…

Quand Sarah est pressée et n'a pas le temps de faire l'aller-retour à Paris pour un *facial*, elle fréquente les instituts de beauté et les spas des grands magasins, les seuls à présenter une qualité relativement décente mais à des prix assez épicés. Ainsi, Selfridges et Harvey Nichols (oubliez Harrods, totalement *has been*) abritent chacun des salons de beauté et de coiffure où la *hype* l'emporte sur le reste. « C'est parfois ridicule, je sais, mais j'adore essayer leurs derniers soins, souvent en provenance des États-Unis. Et puis, je suis obligée si je veux être *up to date,* autrement dit à la page. Dans mon milieu, je me dois de connaître les dernières tendances. La semaine dernière, j'ai fait un soin chez Selfridges, le LipFusion. » Le LipFusion ? « Une injection collagène révolutionnaire… sans l'injection. » Brevet déposé : les lèvres absorberaient ce collagène du troisième type. Ça marche ? « Oui… pendant 48 heures ! », témoigne Sarah. La semaine prochaine, elle essayera le soin Ice-Source : « une crème qui vous glace la peau en quelques minutes » et donc fige rides et ridules le temps d'un dîner. £225… Ça fait cher du glaçon.

Colour is everything

À Londres, les coloristes sont les nouveaux rois. Toni et André, les techniciens couleur du salon Michaeljohn, ont pour clientes Twiggy, le mannequin star des sixties, et Sienna Miller. Leur emploi du temps se lit comme celui de Tony Blair avec de nombreux voyages à l'étranger pour des séances privées pour clientes richissimes. Dans le quartier de Carnaby Street, Natalie Portman, Kirsten Dunst et Keira Knightley se pressent chez Johnnie Sapong pour son fameux *Total hair detox* avant l'application de la couleur.

Jamais sans mon chapeau et mes jodhpurs

À la minute même de son entrée en scène, la *Posh Girl* doit montrer qu'elle est *posh*. Question de statut, de reconnaissance sociale. Quand elle entre quelque part, hôtel, boutique ou restaurant, elle se doit d'être reconnue immédiatement pour ce qu'elle est. Comme elle ne porte pas forcément sur son visage la profondeur de son compte en banque et le *pedigree* de sa famille, elle doit s'équiper des accessoires qui la placeront dès le premier coup d'œil dans la ligue des *Posh Girls*. Parmi les signes extérieurs de la *Posh Girl*, deux icônes : chapeau et jodhpurs. Rien de tape-à-l'œil, non, surtout pas. Le clinquant, elle le laisse à la *It Girl*, toujours désespérée d'attirer l'attention des photographes.

La *Posh Girl* n'a pas besoin de s'étaler ou de briller. Juste de tenir sa place. Et quelle place. Côté chapeau, Miss *Posh* actuelle a délaissé les bibis façon Queen Mum, pour trouver son style avec Philip Treacy, 39 ans, ex-fils de paysans et roi du couvre-chef qui, selon la légende, fabriquait dès l'âge de 5 ans des galurins pour les poupées de sa sœur en utilisant les plumes des animaux de la basse-cour. Diplômé du Royal College of Art de Londres en tant que styliste, il se spécialise dès sa sortie dans la confection de chapeaux et est engagé à l'âge de 23 ans par Karl Lagerfeld chez Chanel. En 1996, ses créations sont exposées à la Biennale d'art contemporain de Florence et au Victoria & Albert Museum. Le confectionneur devient artiste. La *Posh* adore. D'ailleurs, symbole de classe ultime, la duchesse de Cornouailles (*aka* Camilla) a choisi un délicieux bibi en plumes blanches signé Treacy pour son mariage avec le futur roi d'Angleterre au printemps 2005.

L'autre accessoire indispensable à la *Posh Girl* : le pantalon jodhpurs, et, en règle générale, toute la panoplie de mode équestre, sans oublier le cheval. Encore mieux si la garde-robe chevaline, taillée sur mesure, vient de chez Weatherill, mais, fermons les yeux, le prêt-à-porter chez James Purdey&Sons est aussi acceptable.

Le *horseback riding*, elle en fait depuis qu'elle sait marcher. Elle a même rêvé un instant, adolescente, qu'elle serait championne olympique de saut d'obstacle. Aujourd'hui, quand l'écurie de son père lui manque trop, elle va faire du cheval au coin de la rue, à Hyde Park. Pourquoi, à votre avis, la *Posh Girl* habite-t-elle à Mayfair ? Hein, franchement, vous n'y aviez pas pensé ? Parce qu'elle peut parcourir en quelques minutes la distance qui sépare sa chambre à coucher de son cheval préféré aux écuries de Hyde Park ! Pour elle, pas de salut sans crottin.

Glyndebourne : le charme discret de l'Angleterre

L'opéra, pour les Londoniennes *posh*, c'est comme le cinéma pour les Parisiennes du Quartier latin : naturel, évident, historique, incontournable. Tandis que les Parisiennes font leur éducation politique et sentimentale grâce au cinéma, les Londoniennes, elles, préfèrent souvent écouter un beau baryton qu'aller voir Hugh Grant dans la dernière comédie romantique. Avant mon arrivée à Londres, je ne connaissais rien à l'opéra. Je n'y étais jamais allée : trop cher, trop élitiste, bref, inabordable. À Londres, tout l'inverse. Pour faire des économies, on va à l'opéra plutôt qu'au cinéma. Mais la *Posh Girl*, elle, ne se contente que du *nec plus ultra* : dès le début de la saison, elle se rend au temple de l'art lyrique, à Glyndebourne.

Maestro

Si, en dépit des fastes de Glyndebourne, l'opéra vous fait quand même bâiller, voilà une autre raison d'être excitée par l'art lyrique (et de faire cent bornes en train) : son chef d'orchestre. Le beau Vladimir Jurowski, 34 ans, intense et ténébreux, le cheveu de jais, la voix d'une infinie douceur. Malgré son jeune âge, il jouit d'un incroyable respect de la part des musiciens et d'une très croyable popularité auprès des *Singles*. Le mélomane, né en Russie, fait partie des plus jeunes et plus talentueux chefs d'orchestre de sa génération. De quoi convertir toutes les pintades, même les rockeuses, à la musique classique.

On me l'avait dit et redit : « Impossible d'y aller sans être membre », « La liste d'attente est d'environ 20 ans », « Les parents d'un ami ont même attendu 35 ans pour y être admis ». Et puis, miracle, Rebecca, dont la famille est membre depuis toujours, m'invite à l'y accompagner. Glyndebourne, mecque internationale de l'opéra, l'un des trois endroits les plus huppés et réputés du monde de l'art lyrique.

L'événement vaut bien une semaine d'intenses préparatifs. Heureusement, Rebecca, professeur d'italien dans une école réputée de jeunes filles de bonne famille, me briefe comme pour une campagne militaire. Avec un plan de bataille, jour par jour, tâche par tâche. Glyndebourne, c'est du sérieux : « Le *dress code* est très strict : smoking pour les hommes et robe du soir pour les femmes. Avec chapeau, si possible. » Ah. « Pour le menu, il faut varier autour des éléments incontournables et obligés. Mon oncle s'occupe du champagne et du Pimm's (boisson phare des *garden parties*). Je m'occupe du saumon fumé, des poivrons marinés, des fraises à la crème et des thermos de thé et café. J'ai acheté sur Internet des thermos norvégiens qui durent 12 heures, formidable. Pour ce qui est du panier, de l'argenterie, des photophores, des verres et des flûtes, mon oncle a tout ce qu'il faut. Moi, je me charge de la nappe blanche, et des plaids au cas où il ferait un peu frais. »

Pimm's cocktail : un classique

Plus qu'un symbole, le Pimm's est à l'Angleterre ce que le Campari est à l'Italie, une institution, un rite des *garden parties*. Cette liqueur à base de gin créée à Londres en 1840 par James Pimm contient 25 % d'alcool. Sa composition reste toujours secrète aujourd'hui.

Recette

Mélanger une mesure de Pimm's et une mesure de limonade, ajouter de la bière de gingembre (*ginger beer*), des feuilles de menthe, une fraise, quelques tranches de citron et de concombre. Secouer, servir. Et maintenant, chanter *God save the Queen* !

Rebecca et son oncle insistent pour prendre le train, c'est une tradition familiale. Et puis, cela leur permet de boire en toute sérénité. Pas de problème de conduite en état d'ivresse, point sur lequel les Britanniques sont en général très stricts. Rendez-vous donc, en tenue de soirée, gare de Victoria, un début d'après-midi en semaine. Sur le quai, nous sommes en fait très nombreux en smoking, robe longue, avec un panier en osier sous le bras, à nous mêler joyeusement au quidam en trench-coat et tennis boueuses. Pas de *seat policy*, le festivalier endimanché s'installe où il peut. À l'intérieur, en dessous des filets à bagages, deux styles de voyageurs : banlieusards harassés, suants et un rien hébétés, et passagers en chapeaux ou diadèmes. Le contraste est saisissant mais personne ne se dévisage, personne ne sourit ou ne glousse sous cape, rien de plus normal au pays des extrêmes et de l'excentricité. Les petits wagons bleus et blancs des trains de grande banlieue, dont les portes s'ouvrent en passant le bras par la fenêtre pour actionner la poignée, comme au temps de la révolution industrielle, filent vers le sud de l'Angleterre. Direction, les plaines du Sussex.

Lewes, tout le monde descend. Arrivés dans cette petite ville nichée au cœur des vallées ondoyantes du Sussex, à quelques kilomètres des plages de Brighton, les festivaliers se reconnaissent en silence et grimpent tous en frac, tiare et traîne dans le bus de Glyndebourne. Sitôt au pied du théâtre, connu dans le monde entier pour son extraordinaire acoustique, ils se ruent aussi poliment que possible pour prendre possession du meilleur carré de gazon pour disposer leur pique-nique. Rebecca connaît les bons coins : « Les allées près de l'étang à nénuphars sont très belles mais infestées de moustiques. On n'y trouve que les néophytes. Je peux vous dire qu'ils dégustent. On les remarque car ils se grattent tout le temps de l'opéra », dit-elle en riant, cruelle. Et elle ajoute : « Je sais exactement où nous allons nous installer. Sous le troisième arbre à droite du terre-plein central. Je vais à Glyndebourne depuis l'âge de 12 ans, alors j'en ai essayé des endroits sur la pelouse. Je vous garantis que c'est le meilleur. »

Glyndebourne se démocratise !

En 2003, pour la première fois de son histoire qui a commencé en 1934, Glyndebourne s'est offert quelques encarts publicitaires discrets dans la presse nationale haut de gamme. Un seul slogan pour faire bouger son image figée de club très fermé : « Tickets pour Glyndebourne : pas de clique, juste un clic ». En 2002, en effet, c'est le désastre : Glyndebourne n'a affiché complet qu'à « 93 % » au lieu des traditionnels 96 %. Une perte sèche non négligeable quand on sait que le festival ne reçoit aucune subvention publique. Désormais, l'amoureuse d'opéra peut espérer acheter un billet pour Glyndebourne directement en ligne, sur le site du festival. Il lui faudra évidemment attendre que les membres aient choisi les meilleures places pour occuper les autres. Toujours mieux que rien. L'an prochain, j'emmène ma mère.

Autour de nous, entre moutons et nénuphars, dans un jardin qui n'a rien à envier à celui de Monet, milords et élégantes se pâment et s'observent à l'ombre des bosquets ou, au contraire, pour les téméraires, en plein soleil. C'est le moment de déployer le grand jeu. Parmi les habitués, rompus à l'exercice, tandis que sautent les bouchons du champagne de bienvenue, nappes brodées et photophores prennent leur place à côté des couverts et timbales en argent. Juste le temps de goûter le premier cocktail Pimm's de la saison et de faire « tchin-tchin ». Car bientôt, la sonnette résonne. L'opéra va commencer dans le grand théâtre. Au programme cette année-là, *La Bohème* de Puccini, *Theodora* de Haendel, *Idoménée* et *Les Noces de Figaro* de Mozart, *Die Fledermaus* de Strauss, et pour la première fois à Glyndebourne, *Tristan et Iseult* de Wagner. Ce soir, Mimi et Rodolfo nous mettent en appétit dans *La Bohème*. Le metteur en scène David McVicar a décidé de débarrasser l'opéra de Puccini de son sentimentalisme fin de siècle. Nous sommes à Londres, en 2003, dans l'un de ces studios londoniens glauques, pendant la guerre en Irak. Les étudiants vivent d'idéaux, de chips et de bière. Marcello dessine des tracts contre Bush, Rodolfo, scénariste sans le sou, s'agite devant sa machine à écrire, Musetta allume les banquiers de la City dans les bars à vin pour rendre Marcello encore plus fou d'elle. Quant à Mimi, frêle étudiante, elle ne semble pas faite pour survivre dans ce monde de brutes. Belle production, beaux artistes. Mais pas le temps de s'attarder sur la question, l'entracte a sonné. 80 minutes pour pique-niquer avant le troisième acte.

Au dehors, les rayons du soleil couchant invitent les festivaliers à regagner leur carré de prairie. Drelin-drelin, premier service. Que mangent nos voisins, voilà la grande question. Salade de pommes de terre à la crème, poivrons marinés, truite fumée, tarte aux fraises, figues fraîches et carrés de chocolat à la menthe. Quelques aficionados allemands et français, invités par des amis anglais, se plient au jeu des traditions avec un sérieux achevé. Les conversations sont feutrées, les rires spirituels.

Passionnés d'opéra, Rebecca et son oncle ne fréquentent que Glyndebourne. On est snob, ou pas : « Je ne vais jamais ailleurs, ni à Covent Garden, ni à Bayreuth ou encore Salzburg. Les connaisseurs admettent tous que Glyndebourne est le meilleur endroit au monde pour l'opéra, je me contente donc du meilleur. C'est un choix. » Évidemment, présenté comme ça, l'argument de Rebecca semble imparable.

L'opéra à Londres, mode d'emploi

Les fauchées vont au ENO, comprenez l'English National Opera, opéra démocratique où tous les jours une centaine de places du paradis (*aka* poulailler, terme toujours doux aux oreilles des pintades) sont réservées aux étudiants et aux chômeurs pour £ 12,50. Il y a également Covent Garden, pour les moins fauchés. Cela dit, là aussi, une politique de *returns,* tickets invendus écoulés le jour même, vous permet de vous asseoir dans les *stalls* (l'orchestre) avec le gratin, pour la modique somme de £ 25. N'oubliez pas, l'été, les opéras en plein air, à Holland Park et Regent's Park.

Dernière sonnerie de la soirée. Mimi et Rodolfo nous attendent. Certains replient avec soin leurs chaises et tables pliantes en prévision du grand embouteillage de départ. D'autres, au contraire, disposent tasses de thé et café pour l'après-spectacle. Pourquoi diable se presser ?

La misère et le climat londonien ont eu raison de la pauvre Mimi. Pour une fois, Paris la décadente n'est pas montrée du doigt. Au dernier soupir, le parterre de connaisseurs ovationne les artistes et le metteur en scène. Minuit et demi. Les lueurs des chandelles brûlant encore sur le gazon et le halo des photophores guident belles et beaux vers leur panier en osier. Dernière gor-

gée de champagne ou de thé avant de quitter le siècle
dernier et de rejoindre l'enfer moderne.

Une affaire matrimoniale

Vous vous souvenez de *Quatre mariages et un enterrement ?* Eh bien chaque année, le cinéma britannique
fournit immanquablement, avec plus ou moins de
bonheur, la comédie matrimoniale loufoque. La dernière en date, et qui ne laissera pas un souvenir mémo-
rable, *Confetti*. La prochaine s'appellera sûrement
Dragées. Tout ça pour dire que contrairement à nous
qui ne sommes pas une grande nation de marieurs,
les Britanniques, eux, adorent ça. Et certaines Londoniennes ne peuvent *simply not* passer outre. Point de
salut hors du mariage, telle pourrait être la devise de
la *Posh Girl*.

Le PACS à l'anglaise

Avec le tout nouveau mariage civil autorisé pour les homosexuels
en vigueur depuis le 20 décembre 2005, le mariage fait un retour en
force. Gordon Brown, chancelier de l'Échiquier et ministre de l'Économie britannique, se frotte les mains. La communauté homosexuelle de
Grande-Bretagne est estimée à 6 % de la population. Quand on sait
que le coût moyen d'un mariage est trois fois plus élevé de ce côté-
ci de la Manche qu'en Europe continentale (comptez 28 000 euros à
Londres), on a vite fait de comprendre que la nouvelle loi va engen-

drer quelques vocations de *wedding planners*. Elton John a pour sa part loué les services du mystérieux – car anonyme – organisateur du mariage de David et Victoria Beckham. Coût total de l'opération : 1,5 million d'euros.

Alexia n'a pas eu beaucoup de mal à trouver l'heureux élu. Cette jeune femme de 25 ans, étudiante en droit, connaît James, son fiancé, depuis l'âge de dix ans. C'est le fils de l'associé de son père, avocat de haut rang, *QC*, autrement dit, conseiller de la reine. Ils ont annoncé leurs fiançailles, tenu leur *engagement party* un an après, jour pour jour, et enfin annoncé leur mariage pour l'été suivant. « Deux ans de préparation, c'est très utile, surtout quand on invite 500 personnes à la fête », commente Alexia. De longues fiançailles, voilà une caractéristique devenue désuète en France mais toujours vivace en Grande-Bretagne. « Nous aimons les traditions, c'est notre côté conservateur. »

Un an donc avant le jour J, Alexia se rend en repérage à Chiltern Street, à la frontière entre Mayfair et Marylebone. Rue spécialiste du mariage bourgeois, les vitrines alignent robes blanches, diadèmes, traînes, voiles, chapeaux, queues-de-pie pour monsieur et escarpins pour madame mère. « Je ferai faire ma robe sur mesure, c'est une tradition. L'idée même d'acheter du prêt-à-porter, même signé d'un grand nom de designer, me froisse », explique la jeune *Posh*. Chez Storm, dont la singularité est de présenter une collection d'inspiration écossaise (le futur mari d'Alexia est originaire d'Aberdeen), Alexia feuillette modèle après modèle en compagnie de la couturière maison.

Mais Alexia a la tête ailleurs, elle doit également choisir la liste de ses meilleures amies pour sa *hen night* (littéralement, nuit de poule!), son enterrement de vie de jeune fille, tradition devenue une industrie en Grande-Bretagne. « Je crois que je vais inviter 15 de mes meilleures amies à passer un week-end à Chamonix. Je vais louer un chalet et une batterie de guides et moniteurs pour nous occuper l'après-midi. Et aussi un chef pour nous faire la cuisine car nous serons toutes exténuées par le grand air. Mais mon père ne m'a donné que 15 000 euros pour mon budget *hen night*, je ne suis pas sûre que cela suffira. » *Poor little rich girl*.

Monarchiste, sinon rien

La *Posh Girl* est du parti de la reine, un point c'est tout. Du parti de la monarchie, des traditions et de l'Angleterre. Elle vote Tory – conservateur – mais elle pourrait tout aussi bien voter Windsor. Elle se souvient avec émotion du jubilé d'argent de 1977, quand, toute petite, elle avait suivi ses parents et un million de Londoniens sur la route du cortège entre Buckingham Palace et Saint Paul pour ovationner Elizabeth II dans son carrosse d'or.

Elle connaît les paroles de *Rule Britannia, Jerusalem* et *Land of Hope and Glory* par cœur. Elle les chante dans son bain : « *Rule Britannia! Britannia rule the waves. Britons never, never, never shall be slaves.* » Le dimanche soir, il lui arrive de revoir pour la énième fois *Les Chariots de feu*, film pompier des années Thatcher, à la gloire de l'Angleterre.

Alors que ses cousins *yankee* friment avec leur Président qui voyage à bord d'Air Force One, *Posh* est fière que sa reine possède non seulement un avion, un hélicoptère, et un carrosse, mais aussi un train royal, rien que pour elle. Les deux locomotives, 67005 Queen's Messenger et 67006 Royal Sovereign tirent le train de huit voitures. Ah… c'est dans des petits détails comme ça que l'on est *posh* ou pas.

Quand la *Queen Mum* s'est éteinte en 2002, elle a fait la queue pendant des heures dans le froid devant l'abbaye de Westminster pour aller lui rendre hommage. Si elle est trop âgée pour se rêver en fiancée du prince William, elle en pince pour le vicomte Linley, 36 ans, fils de la princesse Margaret, petite sœur de la reine, décédée dans son île de Moustique en 2004.

Notre *Posh Girl* aimait Diana comme sa sœur, mais a appris à pardonner au prince Charles ses frasques extra-conjugales, surtout depuis qu'il a épousé son amour de toujours, Camilla Parker-Bowles.

C'est son côté chauvin, elle n'y peut rien. L'Angleterre et sa famille royale, elle les a dans le sang.

SOUVERAINE PINTADE

C'est la reine des pintades, la gouvernante en chef, la déesse de la basse-cour, la mère poule, bref, elle est Elizabeth Alexandra Mary ; fille aînée de George V, *aka HM The Queen*. Son nom : Elizabeth II. Ses millions de sujets l'appellent *Ma'am* (contraction de *Madam*), et son mari, le prince Philip, lui susurre tous les soirs à l'oreille : « Tu viens te coucher, dis, Libby, il est tard. »

Le mari de la reine, le roi des bourdons

Les gaffes, le prince Philip en a fait une carrière. Après avoir été officier de marine, distingué durant la Seconde Guerre mondiale et marié à la reine, c'est sans doute ce qu'il lui restait de mieux à faire. Le brave *duke of Edinburgh*, 85 ans, bon pied bon œil, ne se lasse pas de jouer son rôle de bouffon. Phil Dampier et Ashley Walton, deux correspondants royaux, ont d'ailleurs compilé les bons mots de Son Altesse Royale dans un livre, *Duke of Hazard*. Florilège de bêtises :

● « Sérieusement, vous buvez cette pisse ? »
Au président d'un célèbre brasseur américain.
● « Et vous venez de quelle contrée exotique ? »
À Lord Taylor of Warwick, qui est noir et vient de Birmingham.
● « Si ça nage et que ce n'est pas un sous-marin, les Chinois le mangeront. »
À un dîner de gala pour la protection des animaux.
● « Les salauds ont assassiné la moitié de ma famille. »
À propos des Russes, lors d'une visite dans le pays.
● « Alors, qui est toxico ici ? »
À un groupe de jeunes Bengladeshis du cœur de Londres.
● « Vous n'avez pas peur de finir par avoir les yeux bridés. »
À un groupe de jeunes archéologues britanniques travaillant en Chine.

Pour ses petits-enfants, elle est *grand-mama*. C'est la femme la plus riche du monde (sa fortune personnelle est estimée à 500 millions d'euros) et pourtant elle ne porte jamais d'argent sur elle. Interdit. Trop vulgaire. Il existe une aristo dont le job est de la suivre avec son porte-monnaie partout où elle va. Ses parents s'appelaient Saxe-Coburg jusqu'au jour où, en 1917 précisément, la famille royale anglaise s'est dit qu'il serait peut-être préférable de prendre un nom un peu moins germanique. Libby est donc née Windsor, en 1926. Beau brin de fille, comme sa sœur Margaret. Vous vous souvenez des photos de son couronnement en 1952 ? Jolie brunette en robe de soie, la taille fine bien prise pour mettre en valeur la silhouette (mais pas trop tout de même, la reine n'est pas une starlette). Ce vieux bouledogue de Winston Churchill, son premier Premier ministre, en pinçait pour elle, si fraîche, si bien comme il faut. Depuis, elle en a connu dix autres des *Prime ministers*, qui, comme le veut la tradition, doivent lui rendre des comptes toutes les semaines lors d'une audience royale qu'elle mène à sa guise. En fait, elle a tous les pouvoirs. La reine énonce la politique du gouvernement, approuve les lois, déclare les guerres, anoblit les pairs du royaume, et, dans les situations d'urgence nationale, peut rejeter les avis du Parlement. Évidemment, pas folle la guêpe, elle se garde bien de toute tentation dictatoriale, ça serait mal vu, mais quand même, elle pourrait si elle le voulait. C'est ce qu'elle se dit tous les soirs avant de s'endormir. Et toc. Quant au prince Charles, son grand dadet de fils, c'est elle qui l'a autorisé à épouser sa maîtresse, aujourd'hui duchesse de Cornouailles. Placée par Dieu (il y en a encore qui le croient) au-dessus des partis et de la mêlée générale, elle ne fait jamais aucun commentaire, n'accorde aucun entretien, n'a jamais donné à ses biographes son avis sur leur travail. En fait, personne ne sait ce qu'elle pense, ce qu'elle lit, ce qu'elle fait, sauf quand c'est officiel : décoration de vétérans, inauguration d'hospices, visites d'État à l'étranger, etc. En revanche, elle invite ses sujets à prendre le thé au Palais. Là, le valet royal explique aux ignares la procédure à suivre. En sa présence, faire la révérence, en silence. Quand elle vous tend la main, s'approcher d'elle (mais à une distance respectueuse). Prendre sa main, mais avant de lui parler, baisser la tête pour la saluer (à nouveau), enfin, répondre à ses politesses par d'autres politesses, du genre : « *How do you do, Ma'am.* » Ne jamais lui tourner le dos en sa présence. Pour quitter la pièce, marcher à reculons jusqu'à la porte tout en lui faisant face. *The Queen*, premier film de fiction jamais réalisé sur la reine Elizabeth II par le réalisateur britannique Stephen Frears, nous la montre dans son intimité, au lit avec le prince Philip (au lit, à dormir, quand même), dans ses balades champêtres un carré Hermès noué sur la tête, ses fidèles chiens corgis à ses pieds, au volant de sa Range Rover pourrie (ou presque), ou encore dans les cuisines de Balmoral à chiper des biscuits en douce. Avant de réaliser le film, Stephen Frears s'est posé la question : « A-t-on le droit de faire un film sur la reine ? Je verrai bien si Scotland Yard m'arrête. » *So far, so good*, Frears vit toujours en liberté. Et Libby dans son château.

Site de la famille royale

Puisque l'on n'est jamais mieux servi que par soi-même et que les Windsor ont appris à communiquer et à vivre avec leur temps, voici leur site royal : www.royal.gov.uk. On ne leur décerne tout de même pas la médaille du meilleur design.

Profession butler

La Grande-Bretagne a beau être une grande démocratie, on se dit parfois qu'elle n'en vit pas moins, toujours, à l'époque de Dickens. Riches et pauvres

demeurent dans deux mondes diamétralement oppo-
sés et l'antagonisme de classes sévit encore, féroce. La
Posh Girl le sait bien, elle qui ne conçoit pas la vie sans
au moins un ou plusieurs de ces compagnons discrets :
*housekeeper, butler, nanny, maternity nurse, gardener,
cook, chauffeur, houseman, valet, governess, carer, porter,
lady's maid, house matron, personal trainer, gamekeeper,
toastmaster,* voire *father christmas* !

Une *nanny*, pas une au pair

Ne pas confondre serviettes et torchons en matière de garde d'enfants. Il y a les pros, les *nannies* assermentées, bardées de diplômes
et hautement recommandées, et il y a les amatrices, les jeunes filles
au pair qui viennent du froid ou du très chaud. Fondé en 1995 par
Serena le Maistre, SLM s'engage à vous trouver une *nanny* en moins
de trois semaines. Coût mensuel pour une *Mary Poppins :* environ
3 000 euros.

La figure du *butler,* le majordome plus obséquieux
que son maître, immortalisé par le romancier P.G.
Wodehouse avec son fameux personnage Jeeves, vit
toujours aujourd'hui dans les recoins de Mayfair et,
surtout, à l'ombre des *stately homes,* ces manoirs de
la campagne anglaise. Le *butler* représente la plaque
tournante des cancans et autres *gossips* qui se vendent
à prix d'or sur le marché des tabloïds. Réceptacle malgré lui de tous les détails drôles ou sordides de la vie
privée de ses maîtres, il domine ainsi curieusement ses
employeurs du poids de leurs secrets. C'est la relation
maso par excellence, de celle qu'affectionnent nos amis
britanniques.

N'est-ce pas à son majordome Paul Burrell que Lady
Di confiait toutes ses inquiétudes et ses angoisses ?
Et quand il fut traîné en justice en 2003 pour avoir
chipé des effets personnels de la princesse défunte, le

prince Charles ne demanda-t-il pas que le procès se déroule à huis clos ? Quand ce privilège fut refusé à la famille royale, le procès s'acheva sur un coup de théâtre étonnant. La reine, se souvenant miraculeusement et soudainement d'une conversation avec lui, qui le disculpait, mit un terme aux poursuites contre le fidèle Paul. Hum, hum.

Concierge London

Non, non pas au sens « la concierge est dans l'escalier » plutôt au sens « on est snob et c'est bon ». Fondé par Lady Cosima Somerset, ce service international de conciergerie est tout simplement divin. Vous leur laissez les clefs de chez vous et ils s'occupent de tout. Du courrier, d'arroser les plantes, de nourrir Félix, de laisser votre cousine s'installer une semaine, et de l'expulser gentiment si elle s'incruste, de changer les draps avant votre arrivée, de fleurir le salon, d'aérer la salle de bains, de faire les courses, de vous trouver un dentiste dans l'heure, une baby-sitter pour ce soir, de dégoter des places d'opéra introuvables, etc. « L'efficacité américaine et le style britannique », évidemment. Mais pour s'offrir leurs services, il faut être riche comme Crésus ou comme la reine d'Angleterre, et devenir membre après examen de passage.

Allons chasser sur les terres de Papa

Ne jamais, au grand jamais, oublier que la pintade *posh* est, tout d'abord, une pintade de plein air. Si elle garde un pied à Londres, c'est qu'elle y est obligée. Mais dès qu'elle le peut, elle saute dans sa Range Rover et rentre « chez elle » dans le Northumberland, par exemple. Elle n'est jamais plus heureuse que les deux pieds dans la gadoue, les sangs fouettés par la froidure, le visage balayé par le vent et un petit crachin vivifiant, les labradors du domaine frétillant à ses pieds, à parcourir des kilomètres à travers champs et chemins de campagne. Quand elle rentre fourbue, elle aime se précipiter aux cuisines, se réchauffer auprès de l'Aga (cuisinière en fonte des années 1920, accessoire indispensable à toute *lady farmer* qui se respecte), se brûler la gorge d'un thé noir bien corsé et jeter une bûche dans la grande cheminée.

La chasse à courre ou le *foxhunting* n'est plus qu'un souvenir depuis son abolition mouvementée par le gouvernement Blair en 2005, mais notre *Posh Girl* se souvient de ces parties de chasse auxquelles participaient les hommes de sa famille, *in full regalia*. Pour elle, le *foxhunting* représentait avant tout un spectacle hippique de haut niveau : des cavaliers experts au saut chassaient le renard en une sorte de *steeple chase*, avec une meute d'une douzaine de chiens foxhounds. Un spécialiste vous dira que l'attaque se faisait soit « à la billebaude », soit « en bordure » ou encore « en boqueteaux. » En fait, l'idée centrale était d'épuiser le renard. S'il se réfugiait dans des terriers de blaireaux ou des troncs d'arbre, les veneurs envoyaient les fox-terriers pour l'en déloger et le faire courir davantage. Au bout de trois heures d'une course effrénée, la peur au ventre, épuisé, le renard se laissait étrangler par les chiens. Le spectacle hippique idyllique de notre amie *posh* pouvait aussi s'interpréter en un carnage cruel et inutile.

Aujourd'hui, l'amie *posh* chasse encore mais à pied, le faisan, le lapin ou le pigeon. Et son père, grand propriétaire terrien, membre éloigné de la famille royale, loue, au week-end ou à la semaine, logements, équipement, domestiques et terres aux banquiers et autres roturiers enrichis venus de Londres, pour des petites parties de chasse entre amis. *Nobody's perfect!*

INTRODUCTION
Serpentine Gallery
Kensington Gardens
London W2
020 7402 6075

HIGH TEA
Pour le *high tea*, je vous recommande les hôtels suivants. Compter 30 livres sterling par personne environ.

Brown's Hotel
Atmosphère cuir et bois, cosy.
Albemarle Street
London W1S
0207 493 6020
www.brownshotel.com

Claridge's Hotel
Très classe, bijou Art déco.
Brook Street, London W1A
020 7629 8860
www.claridges.co.uk

The Connaught Hotel
C'était l'hôtel préféré de Dirk Bogarde, alors !
L'hiver, prendre le thé près des grandes cheminées.
Carlos Place
London W1K
020 7499 7070
www.the-connaught.co.uk

Savoy Hotel
Une harpiste joue pendant le *high tea*, divin.
Strand, Covent Garden
London WC2R
020 7838 4343
www.the-savoy.co.uk

DESERT BEAUTY

Harrods
87-135 Brompton Road
London SW1X
020 7730 1234

Harvey Nichols – LE grand magasin de luxe
109-125 Knightsbridge
London SW1
020 7235 5000

Michael John Studio – coloriste
25 Albermarle Street
London W1
020 7629 6969

Sapong – coloriste
36 Marshall Street
London W1
020 7734 2444

Selfridges – grand magasin
400 Oxford Street
London W1C
020 7629 1234

JODHPURS ET CHAPEAUX

Pour les chapeaux, la boutique de Philip Treacy
Le chapelier le plus chic.
69 Elizabeth Street
London SW1
020 7730 3992

Pour les jodhpurs, la boutique du tailleur Weatherhill
Le tailleur équestre le plus… le plus snob. Comme il habille la famille royale depuis 1920, ses étiquettes portent, bien sûr, le *royal warrant*. Manteau de chasse à partir de 3 000 euros, jodhpurs à partir de 1 300 euros. Cela dit, il paraît que leurs vêtements durent toute une vie…
8 Savile Row
London W1
020 7734 6905
www.8savilerow.com

Hyde Park Stables
63 Bathurst Mews
London W2
020 7706 3806

Riders & Squires
Faire du cheval à Londres et se prendre pour une lady anglaise comme Madonna
Cours individuels ou de groupe pour débutants et connaisseurs. Réservation recommandée. Équipement à acheter ou louer.
8 Thackeray Street, London W8
020 7937 4377

GLYNDEBOURNE
English National Opera
London Coliseum
St. Martin's Lane
London WC2N
020 7845 9325

Festival de Glyndebourne
www.glyndebourne.com
012 7381 3813

Royal Opera House
Bow Street, London WC2E
020 7240 1200

UNE AFFAIRE MATRIMONIALE
La rue de la mariée : Chiltern Street
On y trouve plus d'une dizaine de boutiques consacrées au grand jour.
Deux à retenir en particulier :

Bridal Rogue Gallery
Spécialités : diadèmes, voiles, traînes, corsets, sacs.
20-22 Chiltern Street
London W1
020 7224 7414

By Storm
Robes de mariée, de demoiselle d'honneur et de mère de la mariée. Leur collection *Tartan*, autrement dit écossaise, propose des robes longues en soie, façon plaid écossais. Comme accessoire, un béret avec des plumes

de faisan. Et pour les hommes, des kilts bien sûr, ou des queues-de-pie impression écossais avec de longues chaussettes qui montent jusqu'au genou. Malgré une enquête poussée, on ne sait toujours pas si les hommes portent des sous-vêtements sous leur kilt.

11 Chiltern Street
London W1
020 7224 7888

MONARCHISTE, SINON RIEN

Cafe Diana
Un café rempli de photographies de la princesse, en face même des portes menant à son ancienne résidence. Diana, dit-on, y prenait parfois son café, entourée de deux gardes du corps.

5 Wellington Terrace
London W2

PROFESSION BUTLER

Concierge London
www.conciergelondon.co.uk

SLMrecruitment – pour trouver votre Mary Poppins
www.slmrecruitment.co.uk

ALLONS CHASSER...

James Purdey & Sons Ltd – vêtements, fusils et accessoires pour la chasse

57-58 South Audley Street
London W1
020 7499 1801

Le questionnaire pintade

Sa coupe de cheveux préférée (ou plutôt rêvée)
De coiffeur et de coupe, elle en change toutes les semaines.

Son animal de compagnie préféré
Sa bouillotte.

Son expression favorite
Crickey!

Son juron, gros mot préféré
Not again!

Son Jules ou sa Julie idéal(e)
Le premier qui lui dira : « Oui, moi aussi. »

Son livre de chevet
Pride and prejudice de Jane Austen.

L'objet qu'elle emporterait sur une île déserte
Colin Firth.

Son moyen de locomotion favori
Son vélo.

La personne connue qu'elle rêve d'avoir pour ami(e)
Hugh Grant, célibataire chronique.

La Single de choc, excentrique et pragmatique

La *Single* de choc, c'est Bridget Jones en moins bêta. Quoique. Elle a un problème dans la vie, pas deux : les hommes. Pas moyen d'en garder un plus d'une nuit, et encore, la plupart disparaissent de son lit avant l'aube. Plus personne au réveil. Alors, elle se pose des questions. À qui la faute ? Sa mère, son père, son patron, son banquier, la télé, ses copines, ou bien elle-même ?

Côté boulot, elle assure pourtant. Indépendante financièrement, elle gagne bien, voire très bien sa vie : tradeuse à la City, responsable de la com dans une ONG internationale, avocate dans un grand cabinet, éditrice dans une célèbre maison d'édition, on peut dire qu'elle a réussi. Et ce n'est pas fini, elle est toujours en phase ascensionnelle. Déjà propriétaire de son appartement dans un quartier *up and coming* de la rive sud de la Tamise, elle est sûre de le revendre trois fois plus cher dans dix ans. Des ami(e)s, elle en a à foison. C'est avec eux qu'elle va faire son marché à Borough Market, descend pintes sur cocktails le samedi soir, essaie les dernières *eateries* à la mode, va voir *the* expo à la Tate Modern à dix minutes de chez elle, s'offre une journée de relookage complet avec une *shopping assistant*, passe son dimanche dans un spa à se faire masser et deux fois par an, emploie les grands moyens en se faisant admettre dans l'une des *health farms* du pays. En fait, elle dépense sans compter. Elle investit dans son bonheur se dit-elle, car elle va bien finir par le rencontrer ce satané *partner* pour qui elle fait tous ces efforts.

Parfois, c'est le coup de blues : elle reste chez elle avec son chat et sa bouillotte et passe ses soirées à revoir des comédies à l'eau de rose qui la font pleurer à chaudes larmes. Quand elle ne regarde pas une énième fois la série mythique de la BBC diffusée en 1995, *Pride and Prejudice*, avec Colin Firth dans le rôle de Mr. Darcy. Cette scène où il sort du lac, la chemise mouillée, moulant ses beaux pectoraux, hante toujours ses rêves de midinette.

Récemment, à court d'idées pour attraper l'oiseau rare, elle s'est prise d'une passion pour la cuisine et la gastronomie. Elle s'est réinventée en *foodie*. D'ailleurs, elle ne rate pas une émission de Jamie Oliver et va tous les samedis faire son marché à Borough Market. Encore une bonne excuse pour dépenser et une bonne occasion pour chasser l'épervier, enfin, l'homme. Sait-on jamais, se dit-elle. Ah, et puis, elle a redécouvert Shakespeare, oui, au Globe Theatre. En fait, c'est là qu'elle va ferrer le mâle, car notre *Single* de choc, telle Diane chasseresse, n'abandonne jamais sa quête du futur mari.

Certaines *Singles* de choc, en revanche, connaissent un passage à vide et ont, comme qui dirait, abandonné toute illusion de rencontrer l'âme sœur. Elles glissent progressivement vers l'excentricité un peu foldingue, s'habillent de bric et de broc comme de jeunes *spinsters* qu'elles sont devenues et développent des manies étranges, comme le vélo qu'elles bichonnent de façon extravagante.

Dating disaster

Elle a tout fait : le *speed*, le *slow*, le *blind*, le *jewish*, le *christian*, le *New Labour dating*. Elle a même participé à *des lock & key dating parties*, la nouvelle folie à Londres, où les femmes se voient remettre un cadenas, et les hommes une clef. Et que la fête commence. Elle ne sait plus à quel saint se vouer. Elle en a rencontré des soupirants et des aspirants. Elle s'est inscrite à des *mailing lists* et des sites spécialisés, a couru toutes les conférences, lectures et *talks* culturels et politiques dont Londres a le secret dans l'espoir d'accrocher un homme, un vrai. Mais, non. Rien. *Nothing. Nada. Nichts.* Elle a même fait des choses insensées.

Rachel, jolie célibataire spirituelle de 36 ans, mais habillée, il faut le dire, guère à son avantage, s'était donné un an pour trouver un mari. « L'homme de ma vie venait de me quitter. Au lieu de me laisser abattre, je me suis lancée dans une course effrénée de *dating*. J'ai tout fait. Tout ce qu'on offre sur le marché des célibataires. J'ai accepté de rencontrer des inconnus dès le premier e-mail, et à plusieurs reprises, pour être bien sûre qu'ils ne me plaisaient pas. J'ai mis la famille dans le coup, alerté les copains, même les collègues de travail, j'ai voyagé jusqu'au Danemark pour rencontrer sous des faux prétextes des amis d'amis célibataires, eux aussi à la recherche de l'âme sœur. J'ai fait un tour au mur des Lamentations de Jérusalem et prié pour mon salut. J'ai abordé des hommes à des conférences, demandé leur numéro de téléphone sans même rougir, appelé, pris des râteaux. Je n'ai jamais autant parlé à des inconnus dans le métro, au café ou dans la rue. J'ai même pris des risques ! Comme le jour où un type m'a donné rendez-vous à St. John's Wood, à la station de métro. Arrivée, je ne vois personne, je l'appelle. Il me répond qu'il m'attend, "chambre 343 au Marriott Hotel", au coin de la rue. J'ai hésité un instant mais je ne me suis pas dégonflée. La porte était ouverte. Il était là, à regarder un match de base-ball à la télé. Il m'a saluée et m'a dit : "C'est possible, ou pas ?" Je l'ai persuadé, avant de répondre à sa question, de prendre un café dans le hall de l'hôtel. Je voulais juste parler avec lui : "On n'est pas des bêtes", lui ai-je dit. En fait, après dix minutes de conversation, je me suis rendu compte que le type était totalement marteau. Je suis partie en courant. Au final, en un an, j'ai rencontré une centaine d'hommes, très différents les uns des autres, de toutes les couches sociales, de toutes les religions, j'ai d'ailleurs couché avec une bonne douzaine mais résultat : à part quelques frissons sensuels, rien, le désert. À quoi ça sert ? »

Je serais tentée de lui dire d'aller se rhabiller ou plutôt d'entreprendre un stage de relookage. Rachel prend mon conseil au pied de la lettre…

She's a fashion disaster, but…

Vous connaissez le cliché, les Anglaises n'ont aucun sens vestimentaire, s'habillent de bric et de broc, marient des couleurs criardes, superposent hauts et bas difformes. La *Single* de choc représente parfaitement ce courant que l'on pourrait nommer *fashion disaster*. Désastre de la mode. Comme Rachel qui, malgré un an de *dating* acharné, n'a toujours pas rencontré l'âme sœur, ni même un *boyfriend* qui voudrait l'emmener en week-end. On a essayé de lui expliquer que, vraiment, tant qu'elle serait habillée comme l'as de pique, elle n'attirerait pas *the right guy*. Rachel, réactive comme la tradeuse des marchés émergents qu'elle est, a engagé une relookeuse professionnelle qui sévit à Harvey Nichols.

Rachel revient de loin. Elle ne connaît en effet que trois types d'uniforme. Le « business » qu'elle enfile tous les matins : tailleur noir sur chemise blanche et escarpins noirs. Elle n'en dévie jamais. On lui a dit un jour de faire classique (elle travaille pour une grande banque allemande). Des tailleurs noirs, elle en possède trois, signés Yves Saint Laurent, Chanel et Gianfranco Ferre. Elle n'accessoirise pas son tailleur, le customise encore moins, on ne le lui a jamais appris, dit-elle.

Il y a aussi l'uniforme « week-end » : sa marque préférée, Monsoon. Monsoon, le temple des robes froufrous, des chapeaux de paille, des foulards kaki et bordeaux. Rachel ne sait pas que le style hippie, aujourd'hui, ça fait légèrement *passé*, même carrément ringard. À moins, évidemment, de s'appeler Kate Moss.

Rachel revêt également l'uniforme « séduction » : montrer autant de *flesh* que possible et être boudinée dans des vêtements deux tailles trop petites, même quand il fait -10 °C. La pauvre, elle croit que l'on doit appâter les hommes comme des fauves.

Avec Rachel, la relookeuse professionnelle a du boulot. En fait, elle lui a appris les quatre premières règles de l'élégance, celles qu'enseignent Trinny et Susannah, les deux papesses anglaises du chic sur la BBC. Ce BA-ba vestimentaire consiste en quelques préceptes simples : connaître son corps, ses défauts pour les cacher et ses qualités pour les mettre en valeur ; réaliser que *less is more* ; dans le doute, choisir le noir ; montrer le moins de chair possible. En quatre journées de travail, la relookeuse s'est chargée de jeter à la poubelle 80 % de la garde-robe de Rachel et de lui en faire acheter une nouvelle, pour la modique somme de £4 000. Le résultat est visible. Débarrassée de ses minijupes qui n'étaient plus de son âge, de ses hauts qui la boudinaient, de ses jeans taille basse qui ne lui allaient vraiment pas et de ses robes à fanfreluches, Rachel a désormais l'air plus naturel et moins désespéré. Un bon point. Pas sûr que cet épurement vestimentaire mettra Mr. Right sur son chemin, mais au moins, elle a l'air moins ringard.

What not to wear

Dans leurs émissions devenues légendaires, Trinny & Susannah, les deux gourous de la mode de la BBC, vous insultent, affirment que vous êtes habillée comme un sac et vous disent ce qu'il faut NE PAS porter. Leurs livres de conseils vestimentaires sont des best-sellers et un filon apparemment inépuisable : *What not to wear : for every occasion ; What not to wear : the rules ; What your clothes say about you : how to look different, act different and feel different ; What you wear can change your life ; The Trinny and Susannah Survival Guide : a woman's secret weapon for getting through the year.*

One night stand

On ne va pas aller jusqu'à dire que cette pratique a été érigée en art en Grande-Bretagne, non, mais le *one night stand* (coucherie d'une nuit) a ses spécialistes voire ses adeptes. Cette coutume nationale est fortement liée au *binge drinking*, autrement dit au taux d'alcoolémie dans le sang observé chez les autochtones le week-end.

Health farms

Quand elle a un peu trop abusé du *binge drinking*, la *Single* de choc aime faire une cure de *detox* dans une *health farm*. L'hôtel rural chic, voici ce que les Britanniques font mieux que nous. La ferme façon petit Trianon où l'on va se requinquer à coups de soins divers et de gastronomie délicate parmi les vaches et les moutons, avant de retourner dans la folie de la capitale. Ces *health farms* ont pour nom Babington House, Cowley Manor, High Road House ou encore Whatley Manor. Babington House, « maison de campagne » club Soho House de Londres, a été décorée par l'ancienne rédactrice en chef du magazine *Elle Decoration*, Ilse Crawford. La maison de Babington (dans le Somerset) met à la disposition des familles *trendy* un terrain de croquet, de cricket et de beaux chemins où faire des balades en vélo. Les parents stressés laissent leurs enfants aux bons soins de la Little House *creche* et se dirigent vers le centre de beauté niché dans l'ancienne étable, le Cowshed spa. *Hot stone facial* : £70 ; *Fruit acid manicure* : £45 ; *Pregnancy massage* : £65.

Cependant, le *one night stand* constitue aussi parfois l'une des seules occasions pour un homme et une femme de faire connaissance. Cela semble étrange mais au pays de la maladresse amoureuse et de l'incompréhension entre sexes, ce type de rapprochement nocturne, même éphémère, a remplacé l'art de la séduction.

« En 2005, j'ai dû avoir deux douzaines de *one night stands*, une moyenne d'un tous les quinze jours. Il est très facile de trouver un homme pour la nuit en Grande-Bretagne, mais lui parler et engager une conversation, là c'est beaucoup plus compliqué. Je m'y suis faite. Je vais chercher le plaisir là où il se trouve. On peut dire, en un sens, qu'à jouer le jeu des hommes, je suis devenue aussi autiste qu'eux », explique Sophie, *Single* de choc de 32 ans, avocate le jour et à la recherche du prince charmant le reste du temps.

Quand on suggère à Sophie que, pour certains hommes, une fille trop facile est justement une *passion killer*, elle a l'air déconcerté.

Est-ce à dire que, comme disaient nos grand-parents, les Anglaises sont des filles faciles ? « Oui, nous sommes faciles dans le sens où l'amour physique pour nous n'implique pas forcément les sentiments. Si c'était le cas, nous serions toutes à nous morfondre. » Pour l'amour, Sophie et ses congénères doivent se contenter des héroïnes de Barbara Cartland.

Food and libido

La *Single* de choc s'est trouvé une nouvelle passion aux vertus thérapeutiques hautement compensatrices pour la libido : la gastronomie. Qui l'eût cru, une Anglaise férue de bonne bouffe. Le monde à l'envers.

Cela fait au moins dix ans que, de marchés bio en émissions à succès du petit écran, elle est devenue ce que l'on nomme outre-Manche une *foodie*. Nigella Lawson, belle chef brune aux longs cheveux bouclés de 40 ans et aux formes arrondies, léchant les casseroles en gros plan en *prime time*, a fait beaucoup pour la cause culinaire en Grande-Bretagne. Sans parler du dernier venu, Jamie Oliver, 28 ans. Les dieux du marketing l'ont baptisé *The Naked Chef* pour titiller la jeune célibataire et même la mère de famille qui voit en lui le grand frère idéal de ses enfants. La célibataire, elle, en croquerait bien du Jamie Oliver, grand blondinet, cheveux hirsutes, démarche adolescente et sourire accroché aux lèvres en toutes circonstances.

The Naked Chef

Ils sont aujourd'hui une demi-douzaine de chefs à régner sur la scène gastronomique londonienne. Gordon Ramsey, Tom Aitken, Michel Roux, Gary Rhodes, Heston Blumenthal et Raymond Blanc. Mais la star *foody* par excellence, c'est Jamie Oliver. Il a révolutionné la cuisine en Grande-Bretagne en la présentant de façon claire, décontractée et simple. De bons produits frais, de l'huile d'olive, de l'ail et du basilic, quelques pâtes et le tour est joué. Rien de très sophistiqué, que de l'abordable et du savoureux. Mais surtout, le gars est jeune, sympa, sexy, et il sait communiquer, oh que oui. Ses livres de recettes se vendent à des millions d'exemplaires à travers le monde, il est milliardaire et il a oublié d'être égoïste. Son restaurant Fifteen est un formidable pari réussi d'insertion sociale (il a embauché comme apprentis 15 jeunes à problèmes, parfois SDF) dont les bénéfices sont reversés à sa fondation Cheeky Chops pour financer la formation de futurs chefs. Et en plus, il s'invite à la table de la reine et de Tony Blair pour lutter contre la malbouffe dans les cantines – privatisées et insipides, merci Maggie – des écoles anglaises.
www.jamieoliver.com

Donc, la *Single* de choc s'est piquée de cuisine et a appris par cœur quelques règles élémentaires. Par exemple : « Toujours avoir de bons produits. » Et cela tombe bien, elle loge à deux pas du meilleur marché de Londres, le fameux Borough Market. Tous les samedis, elle y chasse le poireau, la belle asperge, et parfois même le bel hidalgo. Si les plaisirs de la bouche pouvaient amener aux plaisirs des sens, elle y verrait une suite tout à fait logique. Quoi de mieux en effet que de séduire l'âme seule chez Turnips, le roi de la rhubarbe ?

Borough Market : the first market ever

Les Romains auraient créé ce marché en l'an 43 avant d'aller piller la ville de Southwark, aujourd'hui l'un des quartiers de la rive sud de Londres. Les Romains en profitent également, dit-on, pour construire un pont pour rallier les deux rives, le fameux London Bridge, évidemment détruit depuis mais inlassablement reconstruit. En 1276, Borough Market est si populaire qu'il crée une congestion humaine permanente et empêche le passage entre les deux rives. Les autorités le déplacent à plusieurs reprises pour faciliter la circulation. Depuis 1756, Borough Market, qui s'étend sur 2 000 m², n'a pas bougé d'un yard. On y vend la même chose depuis le Moyen Âge et les marchands accourent toujours de toute l'Europe pour y vendre poisson, viande, fruits, légumes, pain, fromage, condiments, graines, fleurs. En 2000, un trust chargé de gérer le marché entreprend de le « régénérer » ainsi que tout le quartier environnant. Les promoteurs montrent le bout de leur nez. Il faut dire que London Bridge est devenu en quelques années un quartier *up and coming*, relié depuis peu au centre de Londres par la Jubilee Line qui terminait autrefois sa route à la gare de Charing Cross. Désenclavé, London Bridge devient une destination prisée par tous les Londoniens et Borough Market, « une expérience à vivre ».

Revenons à la gastronomie. Faire son marché à Londres a longtemps relevé du parcours de la combattante. Si l'on a été élevé en France au rythme du marché local trois fois par semaine, aux saveurs des fruits et légumes qui sentent bon le terroir, au parfum viril des 351 variétés de fromage que compte l'Hexagone et au fumet du poulet rôti, Londres apparaît comme le désert des Tartares. Il existe bien des étals sauvages à quelques coins de rue offrant mangues et avocats au passant pressé mais, tout de suite, vous êtes mis en garde contre votre instinct tout français. « N'achète pas tes fruits et légumes dans la rue, ils sont bien meilleurs dans les hypermarchés », m'a conseillé mon amie Becky. Comment? Meilleur à l'hypermarché? « Quant à faire ton marché, *forget it*, nous ne sommes pas en France, ici on se fiche de bien manger, ou alors il faut être très riche. » Charmant.

Pendant des années, j'ai donc fait mes courses chez Sainsbury's, Marks & Spencer, Tesco, Budgens ou Waitrose, hypermarchés où chaque fruit est empaqueté dans du carton et du plastique. À 3 euros la pêche sans goût, autant investir dans l'emballage, ça rassure la Londonienne et ça rend dingue la Française.

Jusqu'au jour où j'ai découvert Borough Market, dans le quartier délabré (mais pas pour longtemps) de London Bridge. À moitié à l'abandon, les étals des marchands se nichent tous les vendredis et samedis sous les arches d'une voie ferrée où passe l'Eurostar. Borough Market est le seul marché digne de ce nom dans la capitale britannique. On y croise non seulement Jamie Oliver, mais aussi tous les Londoniens amateurs de *good food*.

Il faut dire que l'on y trouve tout ce que l'on veut. De la rhubarbe qui vient du Somerset, de la frisée du Devonshire, des *radiccio* du Kent, des saucisses de faisan du Cumberland, mais aussi du jambon serrano et du chorizo espagnols, du pâté au hareng suédois et autres produits du monde entier. Et bien sûr, du fromage. La *Single* se pique d'ailleurs de s'y connaître en fromage. Elle le déguste désormais à la continentale, c'est-à-dire avant le dessert et non pas après. Juste au coin de

Monmouth Coffee, sur Park Street, trône Neal's Yard Dairy, célèbre fromagerie anglaise où le *stinking bishop* (littéralement « évêque qui pue »), sorte d'époisses à l'arôme prononcé, a presque volé la vedette au stilton depuis qu'on a vu Wallace et Gromit en manger des toasts pour le goûter (cela dit, comme les Britanniques n'en sont pas à une excentricité près, le stilton a récemment eu droit à son parfum, baptisé *Eau de stilton*, qui fleure bon le terroir).

À Borough Market, la population est particulièrement jeune et *trendy*. Terrain de chasse idéal pour la *Single* de choc, comme Yasmina, éditrice de 38 ans, deux enfants, divorcée. Elle y a rencontré les deux (derniers) hommes de sa vie. « C'est le meilleur endroit pour se montrer et faire des rencontres. J'y vais toujours habillée sexy et n'y mettrais jamais les pieds sans mascara ni blush. La clientèle est principalement composée de 20-40 ans, jeunes professionnels dans les métiers de la mode, des médias, de la photographie. On y trouve aussi des chercheurs et médecins de King's College qui se trouve à deux pas. Voici deux ans, c'est en savourant lentement mon cappuccino à Monmouth Coffee que j'ai croisé le regard de Tim, illustrateur pour un grand quotidien. Une belle aventure qui a duré le temps de l'été. Voici trois mois, un samedi où il y avait une foule pas possible, j'ai renversé mon *latte* sur un beau garçon de 36 ans, Paolo, un *italian trader* à la City. Le coup de foudre ! »

Et comme la *hype* accompagne tout phénomène de société à Londres, il a bien fallu que les *foodies* élisent leurs nouvelles stars, comme Lawrence Keogh, le chef d'origine irlandaise de Roast, restaurant implanté au cœur de Borough Market. Sur leur trente-et-un dès 8 heures du matin, les *Singles* s'y donnent rendez-vous, avant de faire leur marché, pour un traditionnel *full english breakfast*. Comprenez, deux œufs au plat, deux saucisses grillées, haricots blanc à la sauce tomate, champignons et tomates confites, le tout noyé dans un litre de thé bien corsé et des toasts blancs. Mais le menu du petit déjeuner ne se limite pas au *FEB*, jugez plutôt : porridge écossais à la crème fraîche du Devonshire, toasts à la tomate et sauce Worcestershire, *scones* au bacon du Ayrshire, omelette au homard, huîtres de Kilpatrick, Kedgeree au haddock fumé et œuf poché. Comme dit Yasmina : « Ne jamais chasser le ventre vide. » Elle veut parler du gibier, humain et animal.

VOUS REPRENDREZ BIEN UN PEU DE PUDDING...

Si Londres a fait des progrès en matière gastronomique, il n'en reste pas moins que nos voisins britanniques adorent des préparations qui nous laissent totalement perplexes. Ça commence par la Marmite (prononcez « mar-maille-t »), une révoltante pâte fermentée à tartiner. Même le site officiel reconnaît que ça ressemble à de la graisse de moteur et que ça a le goût de l'enfer. La recette est secrète, et que personne ne s'avise de la révéler au public. Ensuite, il y a le *treacle*, une espèce de gâteau éponge macérant dans de la mélasse de sucre. Un classique des menus des cantines des *boarding schools*, qui a nourri des générations de petits garçons anglais. Et enfin, le plus drôle de tous, le *spotted dick*, un entremet aux raisins secs, qui pourrait être traduit, si on avait l'esprit mal tourné, par zizi (*dick*) tacheté (*spotted*). On vous épargne les explications sur les chips au vinaigre, les *baked beans* ou encore les *minced meat pies*, dans lesquels il y a plus de fruits secs que de viande et qui se servent en dessert. *Oh well…*

Un peu de cul(ture)

La *Single* de choc est une Londonienne large d'esprit et très ouverte aux rencontres en tout genre, on l'aura compris. Pour se donner toutes les chances dans son *husband hunting*, elle a décidé d'en faire une entreprise internationale. Et pour chasser le bel étranger de passage, elle n'a pas trouvé mieux que le théâtre du Globe, la réplique à l'identique du théâtre de Shakespeare de 1599, installé sur la rive sud de la Tamise, à côté de la Tate Modern. Elle a toujours aimé le côté cul(turel) du barde. Toutes ces histoires de passions contrariées, d'amour torturé, de pouvoir et de puissance, cela lui échauffe le corps et l'esprit.

« Shakespeare a vraiment un effet aphrodisiaque », confie par une soirée orageuse d'été Vic, 34 ans, célibataire avec un fort penchant pour les jeunes Danois (*sic*). « J'y vais pour le spectacle et pour harponner le touriste, ou mieux, l'étranger qui réside à Londres. D'ailleurs, le harponnage s'avère d'une facilité enfantine. Le plus dur, évidemment, c'est de transformer l'essai d'un soir en réelle histoire. Cela ne m'est arrivé qu'une fois. »

Que recherche Vic? « Du *fun*, après, on voit. Il ne faut surtout pas se prendre au sérieux ni tomber amoureuse dès le début, il faut savoir se protéger. J'aime les jeunes types baraqués et imberbes. Et ce genre-là ne donne guère dans le long terme. » On pourrait croire à première vue qu'un théâtre ne constitue pas le meilleur des *cruising spots* mais ce serait une erreur. « Le Globe a un public très large, éclectique, international et souvent jeune. C'est bien mieux que le *clubbing* car au moins on s'entend parler pendant les deux entractes, et on en retire quelque chose. Et parfois quelqu'un. »

La Mad Max du vélo

99 % des *Singles* de choc font du vélo. Mais surtout ne croyez pas qu'elles entendent par vélo ce que nous, Françaises, entendons par vélo, à savoir, pédaler gentiment, en ballerines et jupes flottant au vent, nos provisions ou notre sac placés dans notre panier en osier. Non, quand la Londonienne fait du vélo, elle se prend d'abord pour Mad Max, après pour une femme.

J'ai été sidérée de découvrir à mon arrivée à Londres que les véritables dangers publics ne sont pas les bus à impériale et les *black cabs* déboulant comme des furies sur Oxford Street, non, les vrais dangers sont les cyclistes. À commencer par les *bikers* et autres *couriers*. Car à Londres, les coursiers à moto et à scooter n'existent pas, ils sont à vélo. Et quand on sait que cette ville est dix fois plus grande que Paris, on se dit qu'ils sont complètement maso. Au téléphone, vous entendrez souvent tel employeur ou fournisseur de service vous dire : « *I'll send you a bike.* » Ne croyez pas qu'on vous fait cadeau d'un vélo, on va juste vous livrer tel document ou telle marchandise par coursier à vélo, nuance.

Une fois sur leur vélo, les Londoniens n'appartiennent plus à l'humanité mais à l'armée du cycle. D'ailleurs, ils ressemblent à des soldats avec leurs harnachements et uniformes de dingues à deux roues. Il faut dire qu'ils ont tellement investi (difficile de trouver un vélo neuf à moins de 500 euros), qu'ils se sentent obligés d'aller jusqu'au bout de l'expérience.

Green Transport Plan

Le gouvernement britannique encourage les salariés à se rendre à vélo sur leur lieu de travail et a mis en place, en partenariat avec le patronat britannique, le Green Transport Public Scheme. En gros, votre patron et le gouvernement vous paient 50 % d'un vélo de course contre l'assurance que vous n'utiliserez pas votre voiture. Vous bénéficiez également de réductions d'impôts. Les marchands comme Evans Cycles ont été rapides à surfer sur la vague des deux roues avec leur programme Ride2Work. Ils s'occupent de tout : le vélo, sa maintenance, vos accessoires et les papiers administratifs.

Quand Jackie, ma voisine célibataire et cycliste émérite, m'a vue un matin enfourcher ma bécane, elle s'est précipitée en agitant les bras : « Tu ne peux pas prendre la route comme ça. Où sont ton casque, ta surveste fluo, tes pinces-pantalon fluo et ta trousse de secours ? Et puis, tu n'es pas habillée comme il faut, il te faut un pantalon et un haut en lycra, tu vas transpirer comme une malade dans ton jean et ton blouson. Tu vas te faire arrêter par la police, c'est sûr. » Jackie a une telle autorité que je capitule sur-le-champ, promets de m'équiper et prends le métro. *Damned!*

Le lendemain, Jackie frappe à la porte : « Tu as deux heures devant toi ? Je t'emmène chez Evans. » Evans, le roi du vélo. En route, Jackie fait la leçon : « Tu devrais prendre un contrat de maintenance chez eux. Tu sais changer un pneu et réparer ta dynamo, j'espère. C'est vraiment la base. Moi, je vais le faire réviser chez eux une fois par mois et je m'offre une révision complète tous les 6 mois. » Au lieu d'aller chez l'esthéticienne, c'est leur vélo qu'elles bichonnent. Logique que certaines aient l'air si *dishevelled*.

Chez Evans, Jackie va d'un rayon à l'autre, en transe. Elle s'empare d'une paire de pédales en aluminium ultralégères (£ 39,99), de lampes de nuit ultradesign (£ 59,99), d'un collant en lycra orange et gris absolument atroce (£ 69,99). Pour moi, des pinces, un casque, une surveste fluo et *basta*.

J'essaie de comprendre cette *cyclemania*. Jackie répond à mes questions avec patience. Pour elle, il est évident que c'est moi qui ai un problème. « Je me rends tous les jours au travail à vélo, quel que soit le temps. Cela fait environ 30 kilomètres par jour. J'ai racheté ma bécane à une collègue, 1 500 euros en tout, c'est un Brompton, pliable. Cela me permet de l'emporter partout avec moi. Par exemple quand je vais voir mes parents dans le Buckinghamshire. Je le mets dans le train et ensuite je parcours les 20 kilomètres entre la gare et la maison de mes parents en pleine campagne, c'est très agréable. Enfin, surtout en été. » On comprend mieux. L'investissement de départ est tel qu'il induit des dépenses qui n'en finissent pas. Les distances à parcourir expliquent également leur jusqu'au-boutisme. Après tout, pour les Londoniennes comme Jackie, le vélo a remplacé la voiture… Et leur amant !

DATING DISASTER

Original dating

Pour les jeunes professionnels qui n'ont pas de temps à perdre. Original dating organise soirées et *cocktail parties* à travers Londres. Au choix : drague aveugle ou pressée, autrement dit *blind* et *speed dating*. Choisissez également suivant le thème de la soirée ou le quartier : *easy*. Taux de rencontre garantie : 85 %. Enfin, c'est ce qu'ils disent…

www.originaldating.com

SHE'S A FASHION DISASTER, BUT...

Monsoon

Fondé en 1973 en pleine vague hippie, Monsoon adore les *floaty chiffon dresses* à impression fleurs. Vous êtes prévenue. Pour avoir un avant-goût : www.monsoon.co.uk

ONE NIGHT STAND

Babington House – Health Farm

À proximité de Frome

Somerset BA11
013 7381 2266
www.babingtonhouse.co.uk

FOOD AND LIBIDO

FAIRE DES RENCONTRES À BOROUGH MARKET

Fifteen – le restaurant de Jamie Oliver

Westland Place
London N1
087 0787 1515

Monmouth Coffee Company

Café divin et table d'hôte à partir de 8 heures pétantes.

2 Stoney Street
London SE1
020 7645 3585

Neal's Yard Dairy – fromagerie
6 Park Street
London SE1
020 7645 3554

Roast Restaurant
De la cuisine 100 % anglaise avec des produits 100 % anglais. Un Britannique d'origine indienne, Iqbal Wahhab, et un chef irlandais, Lawrence Keogh, ont donné le coup d'envoi à ce renouveau de la gastronomie nationale.
Floral Hall
Stoney Street
London SE1
020 7940 1300

Turnips
The endroit où acheter fruits et légumes, écouter un air d'opéra (l'un des maraîchers est ténor à mi-temps) et apercevoir les chefs Lawrence Keogh et Jamie Oliver faire leur marché.
43 Borough Market
London SE1
020 7357 8356

UN PEU DE CUL(TURE)

The Globe Theatre
South Bank
London SE1
020 7401 9919
www.shakespeares-globe.org

LA MAD MAX DU VÉLO

Evans Cycles
6 Tooley Street
London SE1
084 5070 3744
www.evanscycles.com

4 La Londonienne : high art & high brow

Le questionnaire pintade

Sa coupe de cheveux préférée
Selon le talent de l'étudiante en coiffure qui l'a récemment prise pour modèle…

Son animal de compagnie préféré
Les souris qu'elle a dans son appartement communal.

Son expression favorite
Yes!

Son juron, gros mot préféré
Yuck!

Son Jules idéal
Jude Law (on le dit cérébral).

Son livre de chevet
Dans la dèche à Paris et à Londres de George Orwell.

L'objet qu'elle emporterait sur une île déserte
Le Deuxième Sexe de Simone de Beauvoir.

Son moyen de locomotion favori
Ses pieds.

La personne connue qu'elle rêve d'avoir pour ami(e)
Bertrand Russell, vivant.

La Londonienne
high art & high brow, étudiante, urbaine, intello

La Londonienne *high art & high brow* vit au cœur de Londres, elle en est pour ainsi dire les yeux et la tête. Ce qui l'intéresse ? Se trouver au centre, là où les idées se forment, s'étudient, se diffusent pour s'envoler ensuite vers le monde entier. Et devenir les doctrines de demain. Elle aime le quartier de Fitzrovia où est né le travaillisme, socialisme à l'anglaise. Elle adore se perdre dans les ruelles de Bloomsbury et croit parfois entendre les pas pressés des suffragettes fuyant la police. Elle ne peut s'empêcher, en passant devant Bush House, le siège de la BBC sur Aldwych, de penser à tous les représentants des gouvernements provisoires réfugiés à Londres pendant la guerre, y lançant leurs appels à la résistance. Elle se souvient, en parcourant Fleet Street, des histoires que lui racontait son oncle journaliste sur les riches heures de la presse et s'imagine, un jour, dirigeante d'un tabloïd, comme la belle et redoutable Rebekah Wade, rédactrice en chef du *Sun*.

Étudiante, chercheuse ou enseignante, c'est à Holborn et Bloomsbury qu'elle commence sa journée dans les prestigieuses universités telles King's, UCL[1] ou

---

1. University College London.

encore LSE[1]. Journaliste, elle s'engouffre dans l'un des nombreux bureaux de la BBC comme Broadcasting House à Portland Place ou dans les immeubles high tech abritant les rédactions des grands quotidiens, aujourd'hui basés dans le quartier de Farringdon, Wapping et Canary Wharf. Analyste, elle court s'enfermer dans l'un des redoutés et redoutables *think tanks* de Fitzrovia comme Demos ou The Adam Smith Institute. Réalisatrice, monteuse, photographe de presse ou de mode, le bus 55 la dépose au pied de l'une des « agences créatives » de Clerkenwell. Éditrice, elle foule d'un pas vif et alerte New Fetter Lane et Chancery Lane sur lesquelles s'alignent les grands immeubles en verre des multinationales de l'édition, tels Routledge et HarperCollins.

Cela dit, notre *HAHB* ne passe pas 24 heures sur 24 à penser, ruminer et hacher de nouvelles idées. Non, il lui arrive aussi d'avoir des pulsions dirons-nous futiles. D'aller boire un thé dans l'un des cafés et *eateries* de Marylebone High Street, de chasser le bel intello devant les Rembrandt de la Wallace Collection (et de le ramener chez elle), de chercher les bonnes affaires aux soldes de Topshop, et cette veste vintage aux puces de Camden Lock, ou encore d'aller se faire épiler à l'école des esthéticiennes de Londres (elle est constamment fauchée, les bouquins, ça coûte cher).

Elle aime également retourner le week-end à Oxford, *for old time's sake*, en souvenir du bon temps et de ses années d'étudiante. Côté gastronomie, elle a redécouvert le plaisir du rosbif et de la viande rouge qu'elle dévore désormais à pleines dents, au revoir *mad cow disease*. Elle ne boit pas autant que ses copines de l'East

---

1. London School of Economics and Political Science.

End mais descend volontiers une pinte lors d'un concert de la scène *grime* ou *indie*, et aligne les cocktails dans les bars à DJs de Smithfield.

Politiquement, elle est plurielle : elle vote Tory, Labour ou Lib Dem, mais toujours engagée. Elle ne lit pas un quotidien mais au moins trois, sans compter les tabloïds dont elle commence la lecture dès 7 heures du matin devant les infos de BBC News 24. Les affaires du monde, c'est sacré.

Beauté système D

Londres a longtemps été un désert de la beauté. Non pas que les Londoniennes soient laides, non, bien sûr, mais côté instituts, il leur fallait s'y prendre un mois à l'avance pour réserver et souvent faire une heure de métro pour aller se faire pomponner. Si les instituts ont longtemps été rares, c'est qu'ils ne drainaient pas les foules. Contrairement à la Parisienne et à la New-Yorkaise, la Londonienne n'a jamais eu le réflexe beauté. Le chromosome « épilation, manucure, soin du visage », sa mère ne le lui a pas transmis.

Récemment, au contact des dizaines de milliers de Londoniennes venues d'ailleurs, et notamment d'Europe continentale, les *London girls* ont changé : elles sont devenues plus attentives, plus préoccupées de beauté et de bien-être. Certaines d'entre elles s'adonnent même à ces joies et cruautés avec la passion des nouvelles converties.

Notre *HAHB* en fait partie, mais cette coquette a un problème de taille : sa bourse. Impossible pour elle de dépenser des fortunes pour sa beauté. D'abord, elle n'en a pas les moyens. Et puis elle rechigne à trop dépenser pour ce qu'elle considère encore parfois comme une attitude misogyne : se plier ainsi aux désirs des hommes la chiffonne un peu. Cela dit, la Londonienne *HAHB* évolue et commence à considérer que féminité et féminisme peuvent cohabiter en paix. Elle veut être belle à petit prix.

Pour cela, elle doit déployer des trésors d'ingéniosité. À force de chercher, elle a trouvé : l'institut de beauté système D, dur à la peau mais doux au porte-monnaie. Il y en a deux dans le centre de Londres, deux écoles d'esthéticiennes ouvrant leurs portes aux cobayes désargentées-débrouillardes-et-pas douillettes.

Mode d'emploi : d'abord, passer le barrage du rendez-vous téléphonique et appeler à l'avance, très à l'avance. C'est fou ce qu'il y a de filles coquettes et pauvres à Londres. Quand vous arrivez, au premier étage de cet immeuble de bureaux, surtout ne pas vous formaliser. L'école de beauté a des allures d'hôpital militaire : des rangées de lits à peine séparés les uns des autres par des paravents. Autour de chaque patiente, oh pardon, de chaque cliente, s'agglutinent des essaims d'étudiantes. N'oubliez pas, vous êtes un cas d'école, l'objet d'un cours de « travaux pratiques ». La plupart du temps, cela se passe bien. L'apprentie esthéticienne a déjà plusieurs heures d'arrachage à son actif et ne vous rate que superficiellement, ici une ligne de sourcil, là un genou, mais rien de vital.

Provence, une étudiante en dernière année de thèse à la London School of Economics, n'a cependant pas que des bons souvenirs : « La dernière fois que j'y suis allée, j'ai vraiment souffert. Massacre du bulbe pileux à la cire bouillante ! L'élève esthéticienne a dû s'y reprendre à 20 fois sur mon maillot. J'avais le côté droit du pubis en sang ! J'allais leur dire de tout arrêter et de me laisser partir même recouverte de cire quand la prof a pris les choses en mains. Résultat : massacrée mais symétrique. Par charité, la patronne ne m'a rien fait payer. Radical. Ça a gommé la douleur. » Pour un peu, la pintade *HAHB* serait prête à choisir la douleur contre un soin gratuit.

Le look vintage

La Londonienne *high art & high brow* a beau dédier trois jours par semaine à la lecture des œuvres complètes de Simone de Beauvoir, Gore Vidal et Doris Lessing, elle trouve aussi le temps de faire les soldes pour dégoter cette veste *seventies* violette à col trapèze qui en fera craquer plus d'un. La mode, elle l'a toujours suivie, même de loin. Cependant, elle a des priorités, et passer son week-end à arpenter Oxford Street à la recherche de sapes neuves sexy n'en fait pas partie. En fait, elle sait exactement ce qu'elle veut et ce qu'elle peut acheter. Son budget, serré, ne lui permet que très peu de coups de folie.

Ses deux adresses clefs : Topshop sur Oxford Circus et les puces vintage de Camden Lock. Topshop, le temple de la mode féminine, voire hyper féminine, *trendy* et pas chère. Elle y achète ses basiques : pantalon cigarette noir, col roulé en fine laine noir ou rouge vif, bottes cavalières, lingerie minimaliste à la Calvin Klein, robes légères l'été. À Camden Lock, elle chine pour trouver des pièces aujourd'hui rares et souvent signées de grands designers d'autrefois : Cardin, Courrèges, Westwood, Ossie Clark, etc.

« Il m'arrive de porter des vêtements neufs de marque, qui ont coûté une fortune à ceux qui me les offrent, mais en fait ce que les gens remarquent à tous les coups, c'est ce que j'achète aux puces de Camden Lock, tout simplement parce que cela sort de l'ordinaire », explique Mel, 28 ans, étudiante en relations internationales à UCL, et, sur le dos, un trench Burberry des années 1970 acheté 60 euros à Camden. « Aujourd'hui, tout le monde est habillé pareil. Moi, je parie sur l'originalité, c'est ma meilleure carte de visite. C'est aussi ma façon de lutter contre la société de surconsommation. » Ah ! On se doutait bien qu'elle allait élaborer tout un discours déconstructiviste autour de la question du vintage.

Hey, Rosbif !

Elle aime bien manger. Ses cellules grises, il faut les nourrir. Et si possible de sang frais. C'est nouveau chez elle, cet appétit pour la chair. Cela s'apparente même à une sorte de révolte, une revendication hautement politique, dirigée contre la dictature végétarienne qui sévit selon elle depuis trop longtemps en Grande-Bretagne.

Comprenez-la, elle a grandi dans la paranoïa des années vache folle. D'ailleurs, voici dix ans, elle vous prévenait en toussant poliment à chaque fois que vous vouliez commander une entrecôte au restaurant : « Pas très prudent », disait-elle, l'air de rien. Antonia, critique d'art, bouille et tignasse à la Shirley Temple juchées sur un corps filiforme, explique : « La crise de la vache folle a vraiment changé la mentalité de ma génération. Nous nous sommes tous mis, alors que nous étions à l'âge des premières sorties et des burgers, à fuir les fast-foods. Il y en avait toujours un pour proposer un *take away* chinois ou indien végétarien pour nos soirées vidéo du samedi soir. Nous ne voulions pas avouer que c'était par crainte de contracter la maladie de la vache folle. On avait peur. Le monde entier avait arrêté ses importations de bœuf anglais. Nous étions montrés du doigt, notamment par les Français. Personnellement, je n'ai jamais cessé d'aimer la viande mais nous devions faire une croix dessus jusqu'à nouvel ordre. »

Petite histoire des abattoirs

Clerkenwell, hameau ayant vu le jour au XIIe siècle, devient vite populaire pour son marché à chevaux de Smooth Field qui, avec les années, se transforme en marché à bestiaux connu sous le nom de Smithfield. Après la Réforme, les terres appartenant aux différents ordres religieux sont redistribuées et rachetées, et de très belles maisons s'élèvent tout autour de Charterhouse Square. Brasseries et distilleries de gin s'installent également dans le quartier. Les abattoirs et le marché sont redessinés et reconstruits en 1860, et survivent jusqu'à nous, épargnés par les pluies de bombes nazies pendant le Blitz. Smithfield, c'est le Meatpacking District de New York ou les Halles de Rungis. Végétariens s'abstenir. Ici, veaux, vaches et cochons ont la vedette. Les pintades peuvent s'y promener sans risquer l'équarrissage.

Faisant contre mauvaise fortune bon cœur, de nombreux Britanniques en ont alors profité pour adopter une bonne fois pour toute l'éthique végétarienne. À Londres, les restaurants végétariens ont poussé comme des champignons. C'est à cette époque que Matthew, photographe de mode, a embrassé corps et âme cette « religion » ; il avait 20 ans. « Ce qui m'a dégoûté pour toujours de la viande, c'est l'attitude de ces hommes qui ont bafoué les règles de la nature et donné à manger de la viande à des animaux herbivores. Il faut être fou ! dit-il avec conviction. Je ne mange ni viande ni poisson, mais contrairement aux *vegans*, je m'autorise les produits laitiers, les œufs, et les produits dérivés du genre gélatine alimentaire. Je me permets également de porter des vêtements en soie ou en cuir. »

Quand Matthew, blondinet mince et musclé, parle de son régime alimentaire comme d'une religion, il n'a pas tout à fait tort. Très pratiqué en Inde, on l'associe à un courant spirituel, celui de la non-violence et du bon karma. C'est en Angleterre, à Ramsgate, que la première association de végétariens au monde a vu le jour, en 1847. C'est elle qui délivre, encore aujourd'hui, un certificat de conformité pour les produits végétariens vendus en supermarché. On estime que 5 % de la population britannique est végétarienne, soit le double des États-Unis.

Quand le danger de la vache folle s'est éloigné, vers 2003, la Londonienne *HAHB* a embrassé le *meat revival* avec passion. Si vous pensez que les Britanniques aiment leur viande cuite à l'extrême et qu'ils n'y connaissent rien en dehors de l'agneau bouilli à la menthe, sachez que ce sont eux, au XVIIIᵉ siècle, qui nous ont convertis au rôti bien saignant. Eh oui. Ce n'est pas pour rien qu'on les surnomme les Rosbifs. Leur goût a ensuite évolué avec le temps, *nobody's perfect*.

Pour manger un bon steak, les pintades londoniennes vont dans les *guts*, autrement dit les tripes, de Londres, le quartier de Smithfield. Ses restaurants, jouxtant les abattoirs de Charterhouse, attirent les nouveaux convertis à l'hémoglobine. « Je me souviens encore du premier steak tartare que j'ai goûté en 2003, après dix ans de diète herbivore, commente Antonia. C'était au Quality Chop sur Farringdon Road. J'ai ressenti tout à coup comme un afflux de sang et de force dans mon corps, un coup de fouet extraordinaire. »

Pour ces « nouveaux carnivores » comme les a appelés la presse anglaise, « *Vegetarianism is dead!* » et c'est à Smithfield que la messe noire est dite tous les soirs. Antonia va au moins une fois par semaine déguster le foie de veau chez St. JOHN. Son chef, Fergus Henderson, personnalité connue et ami des stars, est un intime. La devise de St. JOHN : « Ici, on mange tout, du museau jusqu'à la queue. » Antonia recommande l'os à moelle au persil, suivi d'un foie de veau au bacon. Elle raconte comment, pour ses 30 ans, elle a réservé une table pour 12 et commandé un cochon entier, grillé à la broche. « Je ne l'avais dit à personne, c'était ma surprise. La tête de mon beau-frère, il est *vegan…* » La vache!

La musique, elle l'aime grindie

Elle en est persuadée : Pete Doherty est le Rimbaud des années 2000. Poète rebelle, amateur de paradis artificiels, génie de la musique et amant torturé (d'une belle fille nommée Kate Moss). Pour notre Londonienne *high art & high brow*, le rock se hisse aussi haut que la littérature. D'ailleurs, elle ne comprend pas comment le prix Nobel n'a jamais été donné à un rockeur.

À ses heures libres, notre intello mène l'enquête dans les coulisses de la scène *indie* comme on dit ici, à la recherche d'un bon *gig* (comprenez concert). Son dernier truc, c'est le *grime*, qui a émergé en 2004 et généré plus de commentaires dans la presse spécialisée que sur les scènes du pays où il restait très confidentiel. Aujourd'hui le *grime* a atteint un plus large public en mariant ses talents à ceux de la scène indépendante (d'où son nouveau quolibet de *grindie*). Musicalement, et pour faire court, le *grindie* c'est la rencontre du rap et de la guitare.

La Londonienne *high art & high brow* a grandi avec Nirvana, puis ce fut le désert des années 1990. Oasis, Pulp, Travis, Coldplay ont comblé le vide sidéral de la scène rock. Avec Franz Ferdinand, les Arctic Monkeys, Blunt, The Rakes, Larrikin Love, elle a retrouvé ses esprits. Ouf !

> **Grindie**
>
> Consiste à faire rencontrer des *indies* du style Franz Ferdinand avec des musiciens pur *grime*. *Grindie Volume 1*, téléchargeable sur Internet, produit par le célèbre Statik au carnet d'adresses gros comme un annuaire. Dans son CD à 64 pistes, il couple Franz Ferdinand avec DaVinChe, Ladyfuzz avec Scorcher, Clap Your Hands Say Yeah avec Ghetto et Demon. Tout un programme

Fleet Street

La Londonienne *high art & high brow* rêve souvent d'une carrière à Fleet Street, la Mecque du journalisme britannique, un monde d'intrigues, de brio et de coups bas.

Un rêve devenu réalité pour certaines. Comme Patricia, 42 ans, rédactrice en chef d'une revue de cinéma, dont les bureaux se trouvent au bout de Bowling Green Lane dans le quartier de Farringdon, le nouveau Fleet Street de Londres. Pendant près de trois cents ans, Fleet Street a abrité des dizaines et des dizaines de journaux. La hausse vertigineuse des loyers et de l'immobilier a eu raison de ce temple du journalisme mondial. Les uns après les autres, les grands *broadsheets* et tabloïds britanniques ont vendu leurs sièges historiques pour se réinstaller dans des locaux neufs beaucoup plus grands.

« J'ai grandi en province, près de Manchester. Là-bas, nous sommes fiers de notre quotidien, *The Guardian*. Je crois que j'ai toujours voulu être journaliste. Pour moi, c'était l'aventure et un métier aussi passionnant que ceux d'agent secret, d'inspecteur de police ou de pilote d'avion. J'ai longtemps hésité entre le journalisme et l'espionnage. »

Comme Patricia, elles sont nombreuses à vouloir imiter leurs *mother figures*, leurs icônes, des femmes journalistes à poigne qui, dans un milieu très compétitif, ont su tenir tête aux hommes. Parmi les idoles de la Londonienne *high art & high brow*, on trouve Rebekah Wade, belle rousse à la crinière de lionne, nommée rédactrice en chef du tabloïd *The Sun* par Rupert Murdoch à l'âge de 36 ans. Le poste le plus risqué de Grande-Bretagne dont elle s'acquitte avec le culot, la hargne et le talent qui la caractérisent sans coup férir depuis 2003.

Page 3 girls

Chaque matin, 4 millions de lecteurs fidèles du tabloïd *The Sun* se précipitent sur la page 3. La page de la fille à poil (à l'exception d'un string discret). Moyenne d'âge 23 ans. L'ambition de ces filles ? Se faire remarquer par une marque de lingerie, un site Internet érotique ou le producteur d'une émission de télévision, et décrocher un contrat en or. À sa naissance, au milieu des années 1960, *The Sun* s'annonçait « progressiste » et « féministe ». Mais Rupert Murdoch est vite passé par là pour le transformer en gazette sensationnelle avec un penchant certain pour le sexe et le sport (www.page3.com).

Autre figure emblématique, plus cérébrale, moins sensationnaliste, Rosie Boycott, belle blonde aux cheveux courts et regard d'acier, sorte de Jean Seberg de 50 ans, ancienne rédactrice en chef de *The Independent* et première femme à avoir dirigé un grand quotidien national dans l'histoire de la presse anglaise. Les casse-cou adorent Kate Adie, reporter de guerre de la BBC à la langue bien pendue et aux nerfs de fer. Quant aux enragées du New Labour, elles voient en Polly Toynbee, éditorialiste du *Guardian*, et l'une des « commentatrices » les plus respectées du pays, une héroïne des temps modernes.

Dans le monde impitoyable de la presse britannique, les femmes doivent rivaliser avec les hommes en opinions fortes (comprenez grandes gueules), en prouesses physiques et techniques, montrer qu'elles tiennent aussi bien l'alcool qu'eux (il existe une grande tradition d'ivrognerie chez les *hacks* britanniques) et se montrer parfois aussi cruelles. Cela fait beaucoup, mais constitue un challenge que la jeune *high art & high brow* entend bien relever, sans vendre pour autant son âme à ce diable de Murdoch… *Good luck!*

Memory Lane

La *High Art & High Brow* a souvent fait des études supérieures, et même très supérieures. Elle a parfois perfectionné ses notions d'architecture byzantine, ou ses connaissances de la guerre des Boers à Oxford (ou à Cambridge), accédant ainsi au club très exclusif des 0,2 % de Britanniques ayant fréquenté l'un des deux joyaux de l'université anglaise. Cette Londonienne privilégiée ne peut que s'adonner avec nostalgie aux réminiscences et rêver du temps où, les cheveux au vent, sur sa bicyclette rouillée et couinante, elle s'engouffrait sous le pont des soupirs (hé oui, il n'y a pas que Venise) de retour d'une *lecture* passionnante ou d'un cours *absolutely brillant*.

Elle vivait alors dans une chambre mal chauffée d'un des 39 collèges de la ville, tous aussi prestigieux les uns que les autres, aux cours intérieures rectangulaires, aux chapelles Renaissance et aux pelouses vert anis. Il s'appelait All Souls, Balliol, Christ Church, Corpus Christi, Jesus, Oriel, Queen's ou encore Trinity. Ah, le bon temps de ses vingt ans. Elle se nourrissait de sandwichs *scrumptious* chez Harvey, faisait une pause café au Queen's Lane Coffee House, plus vieux café d'Oxford, et connaissait ses premiers émois à la bibliothèque, et quelle bibliothèque ! Un palais, la fameuse Bodleian Library sur Broad Street où elle passait plus de temps le nez en l'air à admirer les boiseries et fresques baroques du plafond qu'à se concentrer sur des textes souvent abscons.

Bien qu'étudiant dans une université londonienne à la fin des années 1990, une partie de mes recherches m'a vite conduite à Oxford où j'ai connu cette vie enchantée sortie toute droit d'un (bon) film de James Ivory. Je n'imaginais pas à quel point ces nombreux petits séjours allaient marquer mon existence. Avec mon amie Pat, je fais tous les six mois une virée à Oxford, comme une belle piqûre de rappel. *Let's go down memory lane* (« Prenons le chemin du souvenir »).

Oxford est la destination londonienne par excellence. Oui, je veux dire qu'il existe un *Oxford Tube* à Londres. Pas exactement un métro avec un arrêt à Oxford après celui de Notting Hill Gate, mais une ligne d'autobus faisant la liaison 24 heures sur 24 avec une efficacité peu britannique. De quoi faire enrager les cheminots de Railtrack. L'Oxford Tube emporte chaque quart d'heure la Londonienne de Victoria, Marble Arch, Notting Hill ou encore Shepherd's Bush, vers les vallons verts et dorés de l'Oxfordshire. Quand il trace, l'Oxford Tube met 40 minutes, quand il lambine à cause du *traffic* on en a pour facilement 2 heures. Il s'agit d'être plus maligne que le *rush hour*.

Pat et moi descendons toujours au premier arrêt dans New Road, juste après le pont. Notre cœur se met alors à battre la chamade : se dresse devant nous la fameuse tour du collège de Magdalen (surtout prononcez comme il se doit ; à savoir, pour les initiés « maudeline »). L'un des plus beaux collèges d'Oxford. C'est là que je séjournais, dans une chambre toute palissée de bois au premier étage, grâce à un thésard du cru, mon ami Charlie, qui me présenta au *porter* (concierge) du collège, figure toute-puissante de l'établissement qui ne vit pas d'objection à ce qu'une étudiante d'ailleurs profite de temps en temps d'une chambrée habituellement réservée aux potaches maison. Prix de la chambre où séjourna Oscar Wilde : 15 euros la nuit. J'y accueillais parfois en secret, arrivé par le bus de minuit, mon fiancé de l'époque, un Londonien pur et dur de West Hampstead. Nous rasions les murs de la cour carrée, craignant que le son de nos pas sur la pierre ne nous trahisse auprès du *warden* de service. Le souvenir de mes prédécesseurs illustres me plongeait dans une contemplation toute romantique. « Oscar Wilde et sept prix Nobel, dont le poète Seamus Heaney, ont séjourné ici », me répétais-je à moi-même.

C'est Pat qui me fit découvrir la première cette ville-écrin, centre de la connaissance depuis plus de 800 ans.

Les origines exactes de l'université d'Oxford sont un peu obscures. Ce serait Henry Ier, dit « le roi savant », qui aurait encouragé la création des premiers collèges. Ceux-ci, fondés par des institutions ecclésiastiques, étaient dirigés de main de fer par des évêques. À tel point que les règles collégiales imposèrent le célibat aux enseignants jusqu'au milieu du XIXe siècle. Il faut également attendre 1920 pour que les femmes soient autorisées à y étudier !

Aujourd'hui, que fait la Londonienne, ancienne diplômée, de passage à Oxford ? Elle va « punter ». Le *punting* consiste à se prendre pour un gondolier sauf qu'en guise de Grand Canal, on navigue en pleine rivière Cherwell. Pat et moi allons toujours au même embarcadère, celui du *boathouse* du pont de Magdalen duquel nous pouvons remonter le Cherwell vers le centre-ville. Dès mon arrivée à Oxford, Pat m'a donné un très bon conseil, que je n'ai jamais cessé de mettre en pratique : « N'essaie jamais de prendre l'aviron, fais-toi accompagner d'un garçon costaud qui s'en occupera. Car le *punting*, c'est tuant. Pire, c'est un art. Si tu te plantes, tu as vraiment l'air d'une imbécile. » Nous témoignons, le *punting* est un art pour lequel nous n'avons aucun talent. Muni d'une très longue pagaie, le *punter*, debout, doit canoter en laissant tomber le manche de la rame, la laisser s'enfoncer jusqu'à la perdre et la rattraper *in extremis*. Chaque barque, sorte de gondole plate, peut accueillir 5 à 6 personnes. Pour attirer les copains costauds, toujours commander un panier pique-nique *to die for*, autrement dit à se damner, à l'ancien QG, l'une des fameuses sandwicheries d'Oxford où se nourrissent les étudiants, Harvey's Sandwich Bar sur Gloucester Green. Dans notre panier, à côté des chips Pringles au bacon, des sandwichs au brie et à la confiture d'airelles, classique du goût anglais salé-sucré, et une aventure à tenter absolument, pour ne pas mourir idiote.

Pour beaucoup d'anciennes étudiantes, la *memory lane*, ce sont les chemins de randonnée du parc de Magdalen (eh oui, toujours lui, on vous avait dit que c'était le plus beau collège d'Oxford). Non seulement on y croise des biches en liberté, mais les amateurs d'horticulture seront comblés : de très rares variétés de fleurs comme les romantiques *fritillaries* jalonnent les sentiers… qui, après deux kilomètres, rejoignent le parc des universités en plein centre-ville. Le samedi, des étudiants y disputent des matchs de cricket et suent à grosses gouttes dans leur beau costume blanc.

Après notre séance traditionnelle de *punting*, Pat m'entraîne sur Clarendon Street, où elle s'arrête toujours religieusement chez Maison Blanc, première pâtisserie française ouverte dans la région par le chef Raymond Blanc et dont sa femme hérita à leur divorce.

Après le goûter, c'est l'heure de la pinte, forcément. Et pour fomenter la prochaine révolution anglaise (il ne faut pas désespérer des Anglais. Après tout, eux aussi ont tué un de leurs rois et connu une République… pendant 11 ans à la fin du XVIIᵉ siècle!), étudiants anciens et actuels se retrouvent dans les deux plus anciens et *atmospheric* pubs, Eagle and Child et Lamb and Flag sur l'avenue de St. Giles.

S'il lui arrive de refaire un saut dans l'un des beaux musées d'Oxford, l'ancienne étudiante préfère l'Ash-molean, mais pas forcément pour sa collection de têtes réduites… Pat se souvient surtout du nid d'hirondelles sous le toit du musée et c'est à lui, comme à un vieux parent ou un jeune frère, qu'elle rend visite sur la route du retour.

L'un de mes moments préférés pour venir à Oxford, c'est *May Day*, rituel païen célébré depuis des siècles. Les étudiants ont coutume, le dernier soir du mois d'avril, d'aller au bal. Sous des chapiteaux, étudiantes et beaux en tenue de bal guinchent sur des airs des Pink Floyd et s'amusent des attractions qui leur sont offertes : tir à l'arc et à la carabine, montagnes russes, autotamponneuses, massages, caricatures. Aux premières lueurs de l'aube, course à celui qui arrivera le premier, toujours en smoking et robe longue, au pied de la tour de Magdalen College. Une foule d'étudiants réfrigérés ou imbibés s'agrège sur le pont et attend la voix des anges. Les anges ? Les petits chanteurs de la chorale du collège massés au sommet de la tour et donc invisibles de la rue. Soudain, une mélodie signée Bach ou Haendel flotte dans l'air. Après ce concert, les potaches les plus téméraires se jettent dans la rivière, repêchés par des *bobbies* désapprobateurs mais rompus à cette tradition ancestrale. Ils bichonnent les intrépides comme de bons pères de famille avec couvertures et tasses de thé.

Dernière étape : 6 heures du mat, rendez-vous dans l'un des cafés de Holywell Street pour un *full english breakfast*. Sur les coups de 8 heures, la Londonienne reprend son Oxford Tube, épuisée, mais les souvenirs ravivés.

BEAUTÉ SYSTÈME D

La *London School of Beauty and Make-Up*

est ouverte du lundi au vendredi de 9 heures à 16 heures et jusqu'à 20 h 30 le jeudi.

Le « student salon » offre régulièrement des soirées à thème comme *aromatherapy massages*, vérifiez régulièrement leurs offres sur leur site *www.lond-est.com*.

47-50 Margaret Street 1er étage
London W1
020 7580 0355

Ray Cochrane Beauty School

L'autre école du centre de Londres, ne vous tire le poil que le lundi après-midi (13 h 30 à 17 h 30) et le jeudi (9 h 45 à 19 h 30). Comptez moitié moins que dans un institut de quartier classique, soit entre £7 et £12 l'épilation. Un « demi-jambes, maillot, aisselles » vous coûtera la modique somme (pour Londres, évidemment) de £23. Une misère…
Consultez leur site *www.raycochrane.co.uk*

118 Baker Street
London W1
0207 486 6291

LE LOOK VINTAGE

Camden Lock Market

À ne surtout pas confondre avec Camden Market plein d'étals de marchandises neuves et souvent de médiocre qualité. Remonter au nord vers Chalk Farm et entrer sur votre gauche dans les *stables*, autrement dit les anciennes écuries. Bienvenue dans le royaume de la vraie brocante : vêtements et objets vintage garantis.
Ouvert tous les jours de 9 h 30 à 17 h 30.

Topshop

On ne présente plus le temple de la fringue *girlie*, hip et abordable.

214 Oxford Street
London W1
020 7636 7700

HEY ROSBIF ! DÉLICES CARNIVORES

Bleeding Heart

Claustrophobes s'abstenir ! L'endroit a des allures de cave, mais les aiguillettes de canard valent le détour.

19 Greville Street, London EC1
020 7404 0333

Brindisa

Spécialités espagnoles de *jamón*, notamment *ibérico*.

32 Exmouth Market
London EC1
020 7713 1666

The Eagle

Gastropub *delicious*.

159 Farringdon Road
London EC1R
020 7837 1353

Moro

Restaurant espagnol à poigne et à célébrités…

34-36 Exmouth Market
London EC1
020 7833 8336

Quality Chop House

Vieille institution récemment rachetée et « modernisée ». Espérons que les nouveaux propriétaires sauront garder l'esprit cantine de ce resto aux bancs de bois. Petit déjeuner revigorant dès 7 heures du matin ! Spécialité : le steak tartare.

92-94 Farringdon Road
London EC1
020 7837 5093

Smiths of Smithfield

Établissement sur trois niveaux : café au rez-de-chaussée, brasserie au premier et restaurant gastronomique au deuxième étage. Ouvert du petit déjeuner au souper. Spécialités : agneau braisé et *meat pies*. Goûtez le parmentier de *corned beef.*

67-77 Charterhouse St.
London EC1
020 7251 7950

St. JOHN

Incontournable. Ancienne maison georgienne qui servait à la fois d'habitation et d'usine à fumaison de bacon. Fermée au milieu des années 1960, la maison a été squattée, a servi d'entrepôt pour des importateurs de bière chinoise, et fut l'objet de rave parties totalement illégales. Le dernier étage a même été transformé en bureaux par la revue *Marxism Today* !

26 St. John Street
London EC1
020 7251 0848

LA MUSIQUE GRINDIE

Y ALLER POUR LA MUSIQUE...
Quelques adresses pour écouter de la musique et assister – ou participer – par la même occasion à quelques scènes de *bar crawling*, l'un des hobbies préférés des Londoniens le vendredi et le samedi soir. Le principe ? On *crawle* de bar en bar, dans les vapeurs d'alcool et parfois de vomi. Le terme figure dans l'*Oxford English Dictionary,* c'est dire l'importance du phénomène. Il existe même des compétitions organisées par des pubs et des journaux !

19:20

19:20 : bar funky sur deux étages qui propose des douzaines de bières différentes et des cocktails hauts en couleur et forts en alcool. Si vous aimez le billard, allez faire un tour au sous-sol… à moins que vous n'y trouviez le dernier DJ du moment à jouer de ses iPods et platines pour vos douces oreilles. Le moins : £ 6,50 (oups !) le cocktail.

19-20 Great Sutton Street
London EC1
020 7253 1920

Fabric

Au menu sonore : quality house, drum & bass, hip-hop et funk. Fabric se veut « l'un des meilleurs clubs du monde ». À vous de juger.

77a Charterhouse Street
London EC1
020 7336 8898

... OU POUR L'AMBIANCE ET LES COCKTAILS

Dust

Les professionnels de la mode et des agences de pub du quartier ont un *soft spot* pour Dust. Un intérieur *über cool* et une carte qui se laisse manger, et pas seulement des yeux. Le plus : ouvert jusqu'à 4 heures du matin.

27 Clerkenwell Road, London EC1
020 7490 5120

Fluid

Parfait pour se détendre avant de débarquer chez Fabric, le club incontournable de l'est de Londres d'inspiration japonaise. Ne manquez pas la machine à Sapporo, les jeux vidéo vintage (ah, le bon vieux temps du Pacman), et les sofas en cuir pour se vautrer avec élégance. Le moins : £5 le droit d'entrée.

40 Charterhouse Street
London EC1
020 7253 3444

Match EC1

L'un des derniers petits de cette chaîne de bars à cocktails dont la carte est établie avec une grande rigueur par le maître new-yorkais Dale DeGroff. Cocktail recommandé : le Vodka espresso.

45-47 Clerkenwell Road
London EC1
020 7250 4002

MEMORY LANE

DEUX EMBARCADÈRES DE *PUNTING* :
Magdalen Bridge Boathouse et Cherwell Boathouse
(à proximité de Wolfson College)
Ouvert de mars à octobre de 10h du matin au crépuscule.
Coût du *punting*, £15 l'heure mais préparez-vous à laisser une grosse caution (£50). Donc attention au matériel (sous-entendu, ne perdez pas l'aviron dans les eaux troubles du Cherwell comme la moitié des touristes de passage). Le chiffre idéal pour « *punter* » entre amis : 5. Possibilité de louer les services d'un « chauffeur » *punter*.
Cherwell Boathouse

Bardwell Road, Oxford OX2
018 6555 2746

Magdalen Bridge boathouse
Oxford OX2
018 6520 2643

Ashmolean Museum
Beaumont Street
Oxford OX1
018 6527 8000

Blenheim Palace
Le château que Hitler avait choisi quand il envahirait la Grande-Bretagne.
Heureusement pour nous…
Oxfordshire OX20
019 9381 1091

Bodleian Library
Plus qu'une bibliothèque, un palais !
Broad Street
Oxford OX1
018 6527 7180
www.bodley.ox.ac.uk

Eagle and Child – l'un des plus anciens pubs d'Oxford
49 St. Giles
Oxford OX1
018 6530 2925

Harvey's Sandwich Bar
Le meilleur sandwich d'Oxford. Une institution.
89 Gloucester Green
Oxford OX1
018 6579 3963

Lamb and flag – un autre pub *old old*
12 St. Giles
Oxford OX1
018 6551 5787

Magdalen College

Le plus beau collège d'Oxford.

High Street
Oxford OX1
019 9327 6000
www.magd.ox.ac.uk

Maison Blanc

3 Woodstock Road
Oxford OX2
018 6551 0974

Oxford Tube

Bus opérant 24 heures sur 24 entre le centre de Londres (Victoria, Marble Arch, Notting Hill et Shepherd's Bush) et Oxford (Gloucester Green). Entre 15 et 24 euros l'aller et retour

018 6577 2250
www.oxfordtube.com

Queen's Lane Coffee House

Le plus vieux café d'Oxford. 1654…

40 High Street
Oxford OX1
018 6524 0082

The Alternative Tuck Shop

Délicieux sandwichs à emporter.

24 Holywell Street, Oxford OX1
018 6579 2054

DECO SHOW

5 La pintade DIY

Le questionnaire pintade

Sa coupe de cheveux préférée (ou plutôt rêvée)
En pétard.

Son animal de compagnie préféré
Winston, son bouledogue.

Son expression favorite
Super!

Son juron, gros mot préféré
Bollocks!

Son Jules idéal
Le nouveau vendeur lituanien au rayon clématites
du Garden Centre.

Son livre de chevet
*« Reader's Digest » DIY Manual : The DIY
Classic - Totally Revised.*

L'objet qu'elle emporterait sur une île déserte
Sa scie manuelle et son marteau.

Son moyen de locomotion favori
Ses mollets.

**La personne connue qu'elle rêve d'avoir pour
ami(e)**
Johnny Weissmuller (ressuscité).

La pintade DIY, débrouillarde, tough, altermondialiste et libertaire

La Londonienne *DIY* porte la culotte, et elle la porte bien. Son acronyme fétiche, elle le revendique haut et fort. *DIY*, autrement dit *Do It Yourself*, faites-le vous-même et débrouillez-vous toute seule. Dans la vie, elle fait tout elle-même. Elle accepte éventuellement le soutien financier de ses parents ou l'aide musclée de son Jules, mais à petites doses. Ce qu'elle aime, c'est revendiquer son indépendance, et pas seulement d'esprit. La perceuse et la truelle sont ses meilleures amies. Elle s'habille designer mais à condition de ne pas dépenser plus de 10 euros le pull en cachemire Prada. Pour cela, elle a des trucs, des secrets de vie, qu'elle troque contre des conseils de bricolage avec ses amies du nord-ouest de Londres.

Pendant longtemps, elle a cohabité, vécu dans des appartements communaux avec ses compagnons d'université ou ses premiers collègues et puis elle a retapé (presque) toute seule une bicoque victorienne à Kilburn pour laquelle elle s'est souvent endettée sur 40 ans. Son poil aux pattes, elle s'en contrefiche, les chichis, elle les méprise royalement. Ce qu'elle aime : la brique, le plâtre, et la terre, celle qui sent si bon à Hampstead Heath, là où il lui arrive de se baigner à l'aube dans un lac à 12 °C. Quand elle ne dévore pas le dernier Jonathan Coe entre deux travaux de jardinage, elle fait un tour au Tricycle Theatre, pour voir la dernière pièce politique sur un fait divers atroce ayant remué la Grande-Bretagne ou sur la question irlandaise qui n'en finit pas de ne pas se régler.

Physiquement, à quoi ressemble-t-elle ? Sur de vieilles Converse élimées, cette belle fille nature et sans fard enfile volontiers la première paire de jeans qui se trouve dans le placard. Par-dessus, un pull tricoté Joseph déniché pour £2 dans un *charity shop*. Quand elle sort, c'est le vintage qu'elle préfère, acheté sur eBay ou à la boutique de la Croix-Rouge. Politiquement, elle appartient à la génération des premiers altermondialistes qui, dans les années 1990, revendiquaient la contestation et l'esprit *party*, la politique et le plaisir. À l'époque elle était très rave parties, maintenant elle a les pouces verts et s'enchaîne aux arbres si des promoteurs trop zélés veulent les ratiboiser. Elle mange *organic* ou a carrément viré *vegan*. Nombreux sont ceux qui la considèrent comme une gosse de riche devenue libertaire. Mais elle s'en fout.

À Kilburn et West Hampstead, elle a élu domicile. Proche du cœur de Londres grâce à la Jubilee Line, elle se sent pourtant presque à la campagne. La forêt de Hampstead Heath est au bout de ses Converse. Elle aime les maisons victoriennes du quartier et les *mansions* en brique rouge bâties dans les années 1930 pour les classes besogneuses. Sa rue préférée, West End Lane, qui monte et serpente de Abbey Road jusqu'à Frognal Lane, avec son lot de chaînes de cafés comme Starbucks et Café Pelican mais également des petits commerces indépendants comme Roni's Bagel, le roi du bagel.

Je cohabite donc je suis

Dès son plus jeune âge, la *DIY* a appris que la vie est une jungle et la chasse au logement une lutte sans merci. Comme disait l'Anglais Darwin, il n'y a que les plus costauds qui survivent. On se demande s'il parlait vraiment de nature et pas, déjà, de trouver un logement à Londres. Vous ne pourrez pas comprendre les Britanniques, et encore moins les Londoniens, si vous ne saisissez pas le cauchemar permanent, l'hystérie collective que représente le *house* ou *flat-hunting* suivi du non moins cauchemardesque *flat-sharing*. Car, après la chasse, le partage…

La cohabitation, cela ne lui fait pas peur. Déjà à l'université, elle louait une maison de cinq chambres avec… six de ses camarades. Sept étudiants dans cinq chambres ? Eh oui, salon et salle à manger sont souvent transformés en chambrées pour abaisser le coût de location par personne. Si la cuisine est grande, on y installe le canapé et la télévision, et hop, le tour est joué : la salle communale sent bon les odeurs de *take away* indien.

À West Hampstead ou Kilburn, quartiers *up and coming* comme on dit ici mais loin d'être chic, la Londonienne prévoyante compte environ « 180 euros par semaine pour la location d'une chambre dans un appartement communal. « 180 euros par semaine ?!!!!! » J'entends la Française dans un cri de douleur. Cela fait toujours un choc, surtout la première fois. La seconde aussi, d'ailleurs. En fait, on ne s'y fait jamais. Une Française, même une Parisienne, ne comprendra jamais pourquoi se loger à Londres coûte si cher. Il est même conseillé, si l'on aime cette ville, de ne pas essayer de comprendre, sinon, c'est le retour par le premier Eurostar garanti. Et pour la Londonienne qui doute, même un seul instant, c'est *bye bye London* et la transhumance immédiate vers les plaines du Sussex, à Brighton par exemple, où des milliers de Londoniennes rapatrient chaque année homme et enfants pour s'offrir quelques mètres carrés de plus.

Aux 180 euros par semaine, qu'il faut multiplier par 4,3 pour obtenir notre cher loyer mensuel, la Londonienne doit ajouter la fameuse *council tax* imposée par Margaret Thatcher dans les années 1980, environ 150 euros de frais de logement supplémentaire par mois. Vous voyez le topo, la Londonienne de base doit débourser environ 1 000 euros par mois pour se loger, dans un appartement qu'elle partage avec deux, trois, quatre, voire cinq énergumènes qu'elle n'a pas toujours choisis. Son espace d'intimité fait environ 12 m². Et elle ne se plaint même pas. Pour elle, c'est normal.

À mon arrivée à Londres, âgée de 23 ans, je rêvais de mon premier studio indépendant. Je l'imaginais quelque part à Notting Hill, qui n'était pas encore à la mode, ou même carrément au cœur du cœur, à Soho ou Covent Garden. J'estimais avoir un budget de reine : 600 euros par mois. Avec ça, j'allais casser la baraque. Je n'avais pas prévu de partager. Beurk, partager avec des inconnus, en France, cela ne se faisait pas (enfin, pas encore). Quand j'ai vu les prix des annonces, la misanthropie hautaine parisienne s'est transformée en amour démesuré pour l'humanité. J'étais prête à partager avec tout le monde, du moment que l'appartement soit beau et se trouve à Notting Hill ; j'y tenais. Je trouve l'annonce idéale. Un appartement à partager sur Westbourne Gardens, aux frontières de Bayswater et Notting Hill. Le bonheur : un square typique avec des maisons construites vers les années 1850, en stuc blanc et portique à chaque entrée.

Loots

Autant oublier les agences immobilières pour vous trouver un logement à Londres, à moins d'être très patient et très riche. La Londonienne *DIY*, elle, parcourt tous les mercredis, dès sa sortie des rotatives, *Loots*, le *Particulier à Particulier* national. Attention : les annonces en gras sont le fait d'agences qui essaient de s'insinuer par tous les pores du marché dans votre porte-monnaie.
Autre possibilité, quand vous avez davantage les moyens : www.primelocation.com.

Rendez-vous avec mes futures *flatmates*, trois Écossaises. En boucle, je répète tout bas « *I love Scotland!* ». *Top floor,* la porte s'ouvre sur une rousse au regard orageux qui me conduit dans la cuisine. Un tribunal révolutionnaire m'attend. On ne m'avait pas dit qu'il fallait passer un examen. Les questions fusent, je ne comprends rien à leur accent. Elles se parlent entre elles très vite pour brouiller les pistes : vais-je faire l'affaire ? En fait, il n'y a pas de chambre de libre, juste le salon qu'elles aimeraient bien louer car le loyer vient d'être augmenté de... 30 % « T'es pas au courant ? Les baux sont renouvelés tous les six mois, l'occasion d'augmenter les loyers. Les proprios ont fait des travaux, alors, forcément, ils ont augmenté d'un coup sec », me disent-elles. Des travaux ? L'appartement n'est pas mal mais, à l'exception de la salle de bains toute neuve, la cuisine mériterait d'être rafraîchie, la gazinière remplacée et la moquette changée. Je prends congé, les filles me diront dans une semaine si elles m'acceptent comme *flatmate*. Une semaine!

Abattue, je me confie à mon amie Gemma. Elle me confirme en effet que « depuis Thatcher, les locataires n'ont aucun pouvoir et les propriétaires tous les droits : d'augmenter les loyers, de reprendre l'appartement sans préavis, d'imposer leurs conditions. C'est bien pour cela que l'on essaie tous, aussitôt que possible, d'acheter un appartement en contractant des prêts à 0 % à la banque et en empruntant à toute la famille ». Le lendemain, je recommence la lecture des annonces universitaires. Un prof loue un studio indépendant à Primrose Hill : fabuleux, c'est là qu'habite Jude Law, un superbe quartier niché entre le zoo de Regent's Park et Chalk Farm. Je reprends espoir. Le studio de ce prof se compose de deux minuscules pièces en *basement,* donc au sous-sol de sa maison, en pleine obscurité. Il y a une salle de bains mais… pas de cuisine. Quand je lui demande comment faire pour cuisiner, il me répond : « Achetez-vous un micro-ondes mais surtout je ne veux pas d'odeurs. » La décoration et les meubles (ah oui, j'oubliais, 90 % des appartements à louer à Londres sont meublés) oscillent entre le chintz, les imprimés à fleurs de grand-tante Germaine, et le *cheap*, meubles en faux rotin de Pier Import. La modique somme pour ce « studio indépendant » : 220 euros par semaine. *Forget it.*

Dernière tentative avant le suicide, Gemma me dit de regarder du côté des *bedsits*, « les studios londoniens », me dit-elle. Car des studios comme en France, cela n'existe apparemment pas. Rendez-vous à Bethnal Green, dans l'East End de Londres, dans un immeuble de *bedsits*. Je lis le matin dans le journal que Bethnal

Green connaît actuellement une résurgence de tuberculose, pauvreté oblige. « *How nice!* », grince Gemma au téléphone. Arrivée devant l'immeuble, ce que je suppose être une agente immobilière m'attend pour me montrer l'endroit, ou plutôt la chose. 10 m² d'angoisse incommensurable avec un coin cuisine composé d'un évier sale et gras, d'un four électrique ancestral et d'une bouilloire toute cabossée, un placard, et, trônant au milieu de la pièce, un lit en fer d'une personne. La moquette maronnasse toute râpée fait des plis tandis que le papier peint, jaunâtre, est décollé, voire arraché par endroits. Et la salle de bains ? « Sur le palier. » Je pars en courant.

Ne reste plus qu'à espérer que les Écossaises appellent. Ce qu'elles font trois jours plus tard. Sauvée. Commence donc ma vie de *flatmate*. Je découvre avec bonheur les particularités de l'habitat britannique. Par exemple, le concept du *power shower* : une petite boîte installée à côté de la douche, censée ajouter de la pression à l'eau car, comme tout le monde ne le sait pas forcément, la pression de l'eau est une donnée inconnue en Grande-Bretagne. Vive le *power shower* ! Eh bien, non, c'est un leurre. Un misérable filet d'eau est tout ce que vous aurez matin et soir, *power shower* ou non. « C'est psychologique, m'explique Jen, ma *flatmate*, c'est pour se dire qu'on a tout fait pour régler le problème. » Ah. On allait oublier de parler de l'absence de robinet mélangeur dans les salles de bains anglaises : très pratique pour se rincer les cheveux. Cela dit, il existe ces tubes à deux trompes, en général en plastique rose, que l'on enfile aux robinets d'eau chaude et d'eau froide, histoire de ne pas s'ébouillanter ou se glacer la tête. Sauf que, la plupart du temps, les embouts fuient et c'est la salle de bains que l'on inonde.

En plein hiver, je découvre les joies du *timer.* Le rationnement a eu beau finir à la fin des années 1940, le chauffage fait toujours l'objet d'une parcimonie à devenir dingue. *Grosso modo*, mes *flatmates* chauffent de 6 à 9 heures du matin et de 19 à 22 heures. C'est tout. J'ai beau essayer de leur expliquer qu'il n'y a aucun mal à chauffer en continu à 19 °C, elles me regardent de travers et rétorquent : « Ce que vous pouvez être extravagants vous en France ! » Résultat, on se gèle entre 9 et 19 heures. Si vous avez le malheur d'être chez vous dans la journée, une seule solution : ingurgiter litre sur litre de thé brûlant et se couvrir de plusieurs couches de laine. Grossir, aussi, pour moins sentir la froidure. Mon premier hiver à Londres, j'ai pris 6 kilos.

Autre particularité du mode de vie locatif à Londres : interdiction d'accrocher quoi que ce soit aux murs. « Tu veux poser un cadre au mur ? Mais tu es folle ! Nous n'avons pas le droit de faire des trous. Sinon, quand nous quitterons l'appartement, ils ne nous rendront pas notre caution », s'écrie un jour Jen en m'arrachant le marteau des mains. Je me renseigne autour de moi, c'est vrai. Gemma a dû dire adieu à sa caution de 1 500 euros à la suite de quelques affiches punaisées dans l'appartement qu'elle partageait avec ses compères d'université.

Ce parcours du combattant n'est pas réservé à toute nouvelle étrangère à Londres. C'est le pain quotidien des Londoniennes qui ne sont pas nées riches. La seule différence : elles ont prévu dès que possible de devenir propriétaire. À la fin de ses études, notre Londonienne *DIY* ne pense plus qu'à ça : la chasse au *mortgage*, autrement dit au crédit logement à négocier au millième de pourcentage et au penny près avec toutes les banques de la capitale.

« Nous sommes dressés depuis l'enfance. Nos parents mettent de côté pour nous aider. La situation de l'immobilier est telle en Grande-Bretagne, et à Londres en particulier en raison de la pénurie de logements, que cela devient vite une idée fixe, m'explique Gemma. Quand les taux d'intérêts sont bas, c'est évidemment plus facile. Et puis, ici nous pouvons emprunter sur 40 ans, sans aucun apport préalable. » Dès son premier emploi, documentaliste à la BBC, Gemma a ainsi fait le tour des banques pour obtenir le meilleur taux. « Je m'endette sur 40 ans, mais je m'en fiche. Le marché immobilier est tellement spéculatif, avec un peu de chance, la valeur de mon appartement aura doublé en 3 ans. » En effet, le *two-bedroom flat* (trois pièces) qu'elle achète à Highbury Park, près de la mosquée, pour 245 000 euros en 2000, elle le revend 475 000 euros en 2003. Depuis, Gemma s'est installée dans une maison victorienne sur Mill Lane, entre West Hampstead et Kilburn. Sa *four-bedroom house* lui a coûté 630 000 euros : « J'ai juste réévalué mon emprunt à la banque et pris un *lodger* qui m'aide à payer mes traites mensuelles. » Un *lodger*, ce que je suis devenue une fois que mes amies anglaises sont toutes devenues propriétaires vers 25-30 ans. De colocataire, je suis passée au statut peu enviable de *lodger*. Vivre avec son propriétaire, si en plus c'est une amie, peut s'avérer un cauchemar diplomatique.

Les Britanniques ont en effet une façon exaspérante, car très polie, de vous faire comprendre que si vous voulez inviter votre Jules du moment à partager votre couche, il faut d'abord demander la permission à votre *landlady* ou *landlord* (*you know*, le propriétaire). Si vous voulez organiser un dîner, inviter votre famille et vos amis à prendre le café, idem, prévoir et demander la permission, comme quand vous aviez 4 ans. Au bout d'un moment, vous n'avez qu'une envie, partir! Ou emménager avec Roméo pour pouvoir vous offrir le loyer d'un deux pièces riquiqui à 90 minutes en métro d'Oxford Circus.

Agitée de la perceuse

La Londonienne *DIY*, comme son nom l'indique, est une vraie pro du bricolage. Pas par nécessité, non, par choix, on serait même tenté de dire par amour. Les Britanniques sont en effet obsédés par leur maison, leur appartement, leur *sweet home*. À tel point que la promenade du samedi après-midi consiste souvent à aller admirer les nouveautés au B&Q du coin. B&Q? Le Mister Bricolage britannique et la plus grande chaîne du pays.

Sarah et Julia, deux voisines de Mill Lane et vieilles copines d'université, vont ensemble au B&Q de St. John's Wood, une semaine sur deux. « J'ai toujours un afflux d'adrénaline à l'idée d'y aller. J'espère y trouver la solution miracle à mes idées loufoques de déco », témoigne Sarah. À part la maçonnerie et la plomberie, Sarah a tout fait chez elle, une maison géorgienne de trois étages à raison d'une pièce par niveau. « J'ai fait les peintures, ça c'est facile. » Pas tant que ça, car l'intérieur de Sarah ressemble aux décors d'un épisode de *The*

Avengers, Chapeau melon et bottes de cuir : complètement psychédélique. Chaque pièce comporte au moins
deux couleurs différentes, voire trois. Sa chambre,
par exemple, est gris perle d'un côté et rose bonbon
de l'autre, le plafond blanc cassé gris. Dans la salle de
bains, Sarah a recouvert le parquet et le plafond de
laque rouge, et les murs de laque noire. « *I wanted a
dramatic effect* », dit-elle. C'est réussi.

Sarah avoue avoir trouvé son inspiration dans l'un des
nombreux programmes de télévision dédiés à la déco et
au bricolage. Diffusés en prime time, ils fascinent des
millions de téléspectateurs. Sarah et Julia les regardent
(presque) tous. « C'est dix fois mieux que *Big Brother*
ou ces bêtises de télé-réalité. » Il faut dire, le phénomène est renversant. Un coup d'œil au programme
télé de la semaine : 36 émissions de déco, bricolage et
jardinage. On ne ment pas, d'ailleurs leurs titres disent
tout ce qu'il faut savoir : *House Doctor*, *The Flying
Gardener*, *DIY SOS*, *Moving Day*, *Honey I Ruined the
House*, *Build, Buy or Restore*, *Extreme Makeover : Home
Edition* ou encore *How Not to Decorate*.

Homefront sur la BBC montre les relations (immanquablement orageuses) entre un client qui vient d'acheter une propriété et un architecte d'intérieur. Nous
suivons tout, de la première rencontre à la remise en
mains propres des lieux, en passant par la fabrication
des plans, l'achat des matériaux et la réalisation avec des
ouvriers pas commodes. *Grand Designs* sur Channel 4
est hilarant. La caméra suit huit couples ayant entrepris
de faire construire leur maison, du choix du terrain
jusqu'au jour J de l'emménagement avec tous les cau-
chemars que l'on peut imaginer. « Mon préféré c'est
House Doctor sur Channel 5, s'écrie Sarah. Ils ont cette
agente immobilière californienne complètement *over*

the top qui vient aider les propriétaires de maisons invendables à améliorer le look de leurs maisons pour pouvoir les vendre. Il y a de ces horreurs ! » Pour Julia, le top c'est l'émission quotidienne *Real Rooms* de la BBC : « Une équipe a 48 heures et £ 500 pour changer le look d'une pièce vraiment horrible chez des particuliers. On suit tout de A à Z. Ce que j'adore, c'est voir la tête des propriétaires qui découvrent les changements. Parfois, ils sont tellement déçus qu'ils pleurent comme des gosses. »

Les *Brits*, qui ne manquent pas d'humour, savent se moquer de cette obsession en requalifiant l'acronyme *DIY* par *Destroy It Yourself*, littéralement « détruis-le toi-même ». Les blogs sur le sujet regorgent d'histoires de toilettes explosant au visage de leurs réparateurs néophytes.

Comment expliquer cette folie ? En partie par le caractère extrêmement spéculatif du marché de l'immobilier en Grande-Bretagne. « Nous mettons tout notre argent dans l'accès à la propriété. Certains en ont même fait leur métier. Ils achètent, retapent, revendent beaucoup plus cher, rachètent, retapent, etc. » Encore la faute à Thatcher qui a encouragé à l'extrême l'accès à la propriété de ses concitoyens. Car, pas bête la Dame de Fer, à chaque transaction immobilière, l'État touche. Autre raison de la *DIYmania* ? Le climat anglais. Quand il fait si mauvais, autant rester *cosy* chez soi devant une cheminée au gaz, ou carrément une cheminée-leurre avec bûches en plastique éclairées de rouge par en dessous.

Cet engouement pour la déco et le bricolage pousse même de nombreux trentenaires à changer de métier. Julia a failli quitter son job dans la banque pour se mettre à son compte en tant que plombière. « J'en avais assez du stress permanent de la City. J'ai pris des cours du soir pendant trois mois et puis, j'ai manqué de courage. Mais ma cousine, elle, a persévéré. C'est fou ce que l'on peut gagner comme argent dans ce business. » Les plombiers à leur compte gagnent en effet environ £50 000 par an (soit environ 75 000 euros), autant qu'un *GP*, un médecin généraliste. Oubliez le plombier polonais, bientôt la plombière-zingueuse british va débarquer !

Folle de son jardin !

Le jardinage, passion britannique. Pas un jour sans que les journaux, la télé, ou votre voisine Maggie ne vous enquiquinent avec leurs histoires horticoles. Le très sérieux *Financial Times* fournit chaque week-end une rubrique jardinage alliant politique, graines, plantations, taille et philosophie. Dans une de ses chroniques, Robin Lane Fox, la Madame Jardinage du journal, affirmait par exemple que « les magnolias [de Mapperton House] ont grandi au régime eurosceptique ». Sans parler des designers de jardins qui monnaient leurs services des fortunes et expliquent leurs secrets pendant des heures à la radio.

Là aussi, ça doit être le temps. La pluie, c'est bon pour les fleurs. Pour savoir ce qui est tendance ou *has been*, un seul endroit : le célèbre Chelsea Flower Show qui a lieu chaque année à Londres au mois de mai. Ruth, qui a un jardin d'environ 13 m² dans sa maison de West Hampstead et ne désespère pas d'en faire un potager, va y repérer les nouvelles tendances. « Cette année encore, les conifères sont totalement *passé* (en français dans le texte). Ça doit être leur côté seventies. Les gazons aussi, c'est fini. Je n'ai vu que des plate-formes en teck, des chemins en sable ou en verre. Le hit de l'année dernière, les plantes noires telles les *aeonium* et *sambucus*, a disparu ! Les matières industrielles du genre béton vernis et parapets en acier sont vraiment *in*. Il faut suivre la cadence, c'est ça le problème avec le jardinage en Angleterre : nous sommes tous des *fashion garden victims*. » Au moins, avec son potager, Ruth a choisi une valeur sûre.

S'épiler, elle ? Jamais !

Ruth ne s'est jamais épilée. « Pas besoin de me regarder comme une bête curieuse. » Pardon, on a dû faire une grimace sans le vouloir. Elle fait partie des 15 % de Britanniques qui ne s'épilent jamais. Restent 80 % qui se rasent et seulement 5 % qui vont chez l'esthéticienne. Des chiffres édifiants pour une Française.

Ruth a de la chance, elle est blonde comme les blés et ses poils ressemblent davantage à un duvet de bébé Cadum qu'à la forêt amazonienne. « J'ai grandi dans un village en Écosse donc le mot même d'esthéticienne ne faisait pas partie de mon vocabulaire et encore moins de celui de ma mère ou de mes tantes. Ensuite, j'ai fait mes études à Glasgow. Là, pareil. Mes copines brunes se rasaient à sec, sans crème ni rien. Quand je suis arrivée à Londres, j'ai vu en effet que certains quartiers avaient des spas et autres *beauty salons* avec épilation à la cire ou au laser. Franchement, tout cela, c'est du temps et de l'argent gâchés. »

Une pintade *DIY* comme Ruth, ça aime la nature et les produits naturels : « J'utilise du gros sel de cuisine une fois par mois pour me faire un gommage et, pour m'hydrater, de la vaseline. *That's all*. Il m'est arrivé d'utiliser du beurre ou de l'huile d'olive quand je n'avais rien d'autre. Après tout, c'est du gras, ça protège la peau contre le froid. » Quant à se protéger de la pluie, vous plaisantez, j'espère, c'est le secret de leur teint de rose.

En fait, ce que Ruth ne supporte pas dans l'industrie de la beauté, ce sont les diktats des marchands. « La société britannique est centrée sur la consommation. Cette frénésie de l'achat et de la bonne affaire a remplacé la religion en Grande-Bretagne. Notre nouveau dieu, c'est la carte de crédit qu'il faut chauffer à blanc. Nous sommes des victimes idéales. »

Au-delà du discours anticonsommation commun aux altermondialistes comme Ruth, il existe aussi une tradition de l'Anglaise nature, appliquant la philosophie toute britannique du *no nonsense* à son apparence et à l'entretien de son corps. Contrairement à nous, elles voient le corps comme une machine plutôt que comme une œuvre d'art. Ce qui compte, pour la Londonienne *DIY*, c'est la santé !

Le plumage charitable

En France, on appelle ça la chine, les puces, le système D, les dépôts-ventes, les vide-greniers. En Grande-Bretagne, on parle de *charity shops*, *car boot sales* ou *eBay frenzy*. La Londonienne *DIY*, elle, a élevé la débrouille en art de vivre, en principe politique, voire en nouveau fondamentalisme.

Comment s'habiller dans les charity shops

La règle d'or : aller dans les *charity shops* des quartiers chic et *posh*. Ils regorgeront à tous les coups de vêtements de designers à peine portés et vendus une poignée de livres sterling. Parmi les bonnes adresses, citons Crusaid, Red Cross et Sue Ryder.

Si elle n'a rien contre les beaux vêtements de designer, c'est à la condition expresse de les acheter pour le prix de la fripe. Elle ne veut pas brader ses principes de recyclage écolo et, comme elle est rusée, elle n'a pas à faire de concession. « Je suis contre la surconsommation », martèle Toni, Londonienne *DIY* de Kilburn, attachée de presse d'une ONG spécialisée dans la lutte contre les mines antipersonnel. « C'est comme la procréation, je suis contre tant qu'il y aura des orphelins à adopter dans le monde. » Ça, c'est pousser le principe de l'occas jusqu'à ses limites. Finalement, ce jusqu'au-boutisme constitue un trait vraiment britannique : soit ils dépensent comme ils respirent (les Britanniques sont les plus endettés d'Europe avec 1 158 milliards de livres de dettes en 2005), soit ils s'abstiennent et refusent carrément d'acheter du neuf. L'extrême semble constituer leur mode de fonctionnement.

Contrairement aux puces ou aux braderies organisées de temps à autre en France, à l'occasion d'un jour férié ou d'un long week-end, le système D londonien a pignon sur rue. Il a pour nom *charity shop*. Dans les boutiques des organismes caritatifs connus – la Croix-Rouge, Oxfam, Amnesty International –, ou méconnus – Sue Ryder, Imperial Cancer Research, Marie Curie Cancer Care –, amateurs de bonnes affaires et autres *addicts* de l'occasion peuvent s'offrir, pour trois sous, bibelots, livres et vêtements donnés par les habitants du quartier lors de leur nettoyage de printemps. Le donneur et l'acheteur font en plus une bonne action puisque les *charities* britanniques génèrent de la revente des dons effectués dans leurs boutiques de quoi financer une partie non négligeable de leurs activités philanthropiques. La fondation Marie Curie Cancer Care a ainsi 1 800 points de vente dans toute la Grande-Bretagne. Au total, le chiffre d'affaires annuel des 6 500 points de vente des *charities* britanniques atteint les 300 millions de livres (soit 457 millions d'euros).

Depuis qu'elle est indépendante financièrement, Toni ne s'habille que dans les *charity shops*. « Au début, je le faisais par économie, et puis c'est devenu un principe de vie. J'y trouve des merveilles à des prix dérisoires. Par exemple, ce que je porte aujourd'hui : mes jeans noirs de chez Gap achetés £2, ma chemise Max Mara en soie noire à £4, ma veste tricotée vert pomme Joseph à £5. Et mon sac en cuir verni Gucci, une affaire à £10 ! Je trouve de tout, du presque neuf ou du vintage. Contrairement aux puces, tout est en bon état, lavé et repassé, bref, prêt à porter ! Il m'arrive de mettre des vêtements neufs mais ce sont des cadeaux. » Je devrais ajouter que Toni est également *vegan*. Pas végétarienne. *Vegan*, c'est-à-dire qu'elle ne mange évidemment pas de viande et qu'elle se prive également d'œufs et de produits laitiers. En gros, Toni se nourrit de graines, de fruits et de légumes, d'où sa taille de guêpe. En revanche, son teint un peu blafard donne envie de lui offrir un steak tartare.

Cet extrémisme de la récup et son engagement pour le caritatif, Toni les pratique avec une contradiction déconcertante puisqu'elle est récemment devenue une folle d'eBay, premier site mondial de vente aux enchères lancé en Grande-Bretagne en 1999.

Charity shops vs eBay

Les *charities*, ayant perdu 10 % de leur chiffre d'affaires en 2005 en raison de la folie eBay (les donneurs préfèrent de plus en plus vendre leur *junk* aux enchères plutôt que de les donner), ont commencé à réagir. Et ont décidé de tirer leur épingle du jeu de ce nouveau comportement de société. Certains d'entre eux ont commencé à utiliser eBay pour vendre leurs plus beaux dons et générer ainsi de plus amples profits. L'accès à 114 millions d'usagers à travers le monde constitue un argument difficile à ignorer pour les professionnels de la philanthropie. Comme quoi, à quelque chose malheur est bon.

La Londonienne *DIY* manie les lois du marché avec une dextérité qui peut laisser la Française perplexe. Nous qui nous la croyions baba cool nouvelle manière, elle prend parfois les allures d'une experte de la finance. Car au lieu de donner, à son tour, vêtements et objets qui l'embarrassent, elle préfère souvent les vendre sur eBay. On comprend alors ses détracteurs qui l'accusent d'être une libertaire doublée d'une néoconservatrice.

Toni ne trouve-t-elle pas antinomique de chiner dans les *charity shops* et de vendre ses *antics* et autre *junk* au plus offrant ? « Non, eBay c'est aussi un marché de la récup, je mets mes affaires aux enchères pour £1 symbolique. Si les acheteurs se battent pour un objet et font voler les enchères, tant mieux pour moi. C'est l'expression la plus parfaite et la plus pure du marché. » Justement, on croyait qu'elle était contre.

Toni n'est pas la seule à s'être piquée au jeu eBay. La Grande-Bretagne compte près de 10 millions d'utilisateurs réguliers qui vendent pour 1 milliard de livres sterling (environ 1,5 milliard d'euros) de fripes, accessoires, livres, vélos, meubles et voitures par an.

En cinq ans, le réflexe eBay s'est répandu comme une traînée de poudre, encouragé notamment par les anecdotes de célébrités devenues elles aussi accros. Il paraît que Cherie Blair a acheté pour 15 centimes d'euros un réveil Winnie l'ourson pour son fils Leo…

Hampstead pond : bain de jouvence

Il y a un côté viking chez les Britanniques et chez la Londonienne *DIY* en particulier. Un côté bête de la nature que les éléments déchaînés ne semblent jamais atteindre. Qu'il pleuve, qu'il neige, qu'il vente ou qu'il gèle, vous la verrez souvent en chemisette, sans veste ni pull, voire en minijupe et T-shirt sans manches en plein mois de décembre. Même après dix ans de vie à Londres, on ne s'y fait pas. Mais comment fait-elle ? A-t-elle un chromosome Damart dans son code génétique ? Au moindre rayon de soleil, les Britanniques décapotent leur voiture (la Grande-Bretagne possède de loin le plus grand nombre de cabriolets en Europe) et se ruent à la terrasse de café la plus proche, et ce, même en hiver. S'il neige, les transports publics sont soudain paralysés, mais eux avancent, imperturbables.

Quand Carolyn m'a confié se baigner tous les samedis à 7 heures dans l'eau gelée de Hampstead Pond, je n'ai même pas froncé le sourcil. Quand j'ai compris qu'elle se baignait toute l'année, je lui ai demandé si elle avait une tenue de plongée. Non, même pas. J'en reviens donc à la même théorie : cela doit remonter à l'occupation viking d'une partie du pays au IXᵉ siècle.

Ne prenant aucun risque, je l'accompagne un samedi matin du mois d'août. Merveilleux endroit, baigné dans la végétation, peint notamment par Constable. Je me crois au début du XIXᵉ siècle. D'ailleurs, c'est à cette époque que le public a obtenu le droit de se baigner dans trois des trente *ponds*. L'un est mixte, l'autre *women only* (rendez-vous traditionnel de lesbiennes) et le dernier *men only* (lieu de rencontre gay par excellence). Un petit ponton en bois s'avance sur le lac, prudente, je tâte l'eau du gros orteil, le choc. *The water's f***ing freezing!* Même en plein été, le *pond* réservé aux filles est glacé. Alors, en hiver…

Une semaine plus tard, Carolyn appelle, elle a une très mauvaise nouvelle, prévient-elle. « Ils veulent interdire la baignade dans les *ponds* entre 7 et 9 heures. Pour des raisons de sécurité. En fait, ils parlent de privatiser le bureau qui s'occupe de la gestion des *ponds* et de rendre la baignade payante. Les budgets de surveillance vont être coupés et concentrés aux heures de plus forte affluence, donc il n'y aura bientôt plus de maîtres-nageurs avant 9 heures. Et ils veulent construire des barrières car si quelqu'un se baigne quand même et a un malaise avant l'arrivée du maître-nageur, ils ont peur d'être poursuivis en justice. » Histoire anglaise typique : pourquoi faire simple quand on peut faire compliqué ? Pourquoi laisser la municipalité gérer ce qu'elle gère très bien quand on peut privatiser, sous-traiter, déprécier la qualité du service, rendre payant ce qui était gratuit depuis 150 ans et mécontenter les usagers ? « Il y a une réunion ce soir, on va manifester, tu viens ? » Évidemment.

Contrairement aux Français, les Britanniques n'ont pas la protestation dans le sang. Sauf quand des traditions (absolument pas existentielles) sont attaquées et menacées de disparition. Manifester contre la privatisation des chemins de fer, la privatisation rampante du système éducatif, ça ne leur viendrait pas à l'esprit. Mais se bouger pour sauvegarder la chasse à courre (le fameux *foxhunting*) et la baignade gratuite entre 7 et 9 heures à Hampstead Heath, ça les motive.

350 personnes se sont déplacées au Hampstead Town Hall. On y aperçoit quelques têtes connues des médias

et de l'aristocratie anglaise comme Lord Hastings. Leur affaire est bien partie. En Angleterre, si vous avez la presse dans votre sac, la chance passe de votre côté. Quand le magnat australien Rupert Murdoch a accordé à Tony Blair l'appui sans réserve du tabloïd *The Sun* en 1997, la victoire de Blair semblait soudain assurée. *Bang on!* Le lendemain de notre réunion de protestation, les journaux regorgent d'articles défendant l'existence de cette tradition séculaire : la baignade glacée aux aurores à Hampstead. Le 29 avril 2005, la haute cour de Justice de Londres rend son verdict : que la tradition vive !

Elle cultive l'agit-prop

La *DIY* a des opinions fortes, même si parfois contradictoires. Altermondialiste pour ses frères d'armes, libertaire gosse de riche qui a tout compris des subtilités du marché pour ses détracteurs, toujours est-il que la politique l'intéresse, la passionne même. Un trait partagé par de nombreuses Londoniennes qui se pressent dans les théâtres de la capitale pour voir *the* dernière pièce politique.

Alors qu'en France, le cinéma remplit souvent le rôle de contre-pouvoir social, culturel et politique, en Grande-Bretagne, c'est au théâtre, et dans une moindre mesure à la télévision, que revient la responsabilité d'empêcher les citoyens de tourner en rond. La fréquentation des théâtres londoniens en apporte la preuve par dix : ils ne désemplissent pas. Et ne coûtent pas cher. En France, aller au théâtre est toute une histoire, une soirée prévue à l'avance avec des places oscillant plutôt autour des 60 euros. À Londres, la politique des *returns* garantit presque toujours une place à l'orchestre à 15 euros. La seule chose que l'on n'y trouve pas : le confort. Les dorures et le moelleux des fauteuils en velours rouge des théâtres parisiens n'ont pas leur place dans les théâtres londoniens (excepté dans l'univers rose bonbon du West End). L'inconfort est la règle, on est là pour en baver. Et les Londoniennes, un peu maso, en redemandent.

Alors que nous débattions avec Ruthie sur le thème « Le théâtre peut-il changer le monde ? », elle s'écrie soudain : « La dernière pièce du Tricycle traite pour la première fois au théâtre de Guantanamo Bay. Le spectacle commence dans 20 minutes, on a juste le temps d'y aller. » Et hop ! 25 minutes plus tard, nous voici embarquées vers les rives de Cuba.

Le Tricycle Theatre, niché dans le quartier absolument pas *hip* de Kilburn (ancien repère de républicains irlandais), s'est fait une réputation pour monter, ou plutôt démonter, des sujets d'actualité brûlante sur les planches. Ruthie y a vu ces pièces, que les médias ont baptisées *Tribunal Plays*, sur Nuremberg, Srebrenica, l'enquête Hutton[1], la débâcle des chemins de fer bri-

---

1. L'affaire autour de cet expert en armement, David Kelly, qui s'est suicidé en juillet 2003 après avoir donné une interview à la BBC et avoir été lâché par Downing Street.

tanniques, l'affaire Stephen Lawrence[1]. Imaginez en France des théâtres parisiens traitant des derniers scandales politiques comme l'affaire Clearstream ou encore l'affaire d'Outreau : impensable.

En Grande-Bretagne, la passion du débat contradictoire, comme au Parlement de Westminster où les députés saluent d'un grognement général à chaque fois qu'un de leur gars a marqué un point contre le camp adverse, explique sans doute l'engouement pour ces pièces-débats où un scandale est disséqué en détail, exposé devant les spectateurs puis jugé en public. Ruthie conclue : « C'est notre côté emmerdeur, comme avec l'Europe. » Non, ça, c'est une autre histoire.

---

1. Stephen Lawrence est un jeune homme de 18 ans, victime d'un crime raciste et du cafouillage de la police dont il a été prouvé depuis qu'elle n'a pas tout fait pour retrouver le coupable.

AGITÉE DE LA PERCEUSE

B&Q

Avec plus de 45 000 produits offerts à la vente, B&Q est *the* détaillant de matériel de bricolage et de jardinage de Grande-Bretagne. C'est d'ailleurs aussi le premier en Europe, et le troisième au monde. B&Q : 6 milliards d'euros de chiffre d'affaires, 38 000 employés et 2,3 millions de mètres carrés de magasins à travers le monde. Son 329e magasin vient d'ouvrir ses portes à... Pékin.

084 5609 6688
www.diy.com

FOLLE DE SON JARDIN !

LES 4 RENDEZ-VOUS HORTICOLES QUI COMPTENT :

BBC Gardeners' World Live

BBC Haymarket Exhibitions
22 Bute Gardens
London W6
020 8267 8087

Chelsea Flower Show

Royal Hospital Chelsea
London SW3
020 7834 4333

Greenhouse Garden Centre : l'adresse de Ruth

Plus grande pépinière du nord de Londres, cette immense serre de 5 000 m² a une mission : offrir le trait d'union entre la nature et les Londoniens. Vous y trouverez tous les arbres fruitiers, les plantes, les terreaux, les graines, les engrais, les instruments et équipements possibles et imaginables pour fleurir votre balcon, votre jardin, votre champ. Même des plantes carnivores et des poissons tropicaux pour votre aquarium géant.

Birchen Grove, Kingsbury
London NW9
020 8905 9189

Hampton Court Palace Flower Show
East Moseley, Surrey KT8
087 0752 7777

Malvern Autumn Garden & Country Show
Three Counties Showground
Malvern Worcestershire WR13
016 8458 4900

LE PLUMAGE CHARITABLE

LES CHARITY SHOPS

Crusaid
19 Churton Street
London SW1
020 7233 8736

Marie Curie Center Care
www.mariecurie.org.uk

Red Cross
67 Old Church Street
London SW3
020 7351 3206

Sue Ryder
2 Crawford Street
London W1
020 7485 4491

HAMPSTEAD POND

Bureau des ponds
Parliament Hill Park Office
Staff Yard Highgate Road
London NW5
020 7485 4491

ELLE CULTIVE L'AGIT-PROP...

Tricycle Theatre
269 Kilburn Road
London NW6
020 7328 1000
www.tricycle.co.uk

adresses

6 La North London Girl

Le questionnaire pintade

Sa coupe de cheveux préférée (ou plutôt rêvée)
Long et lisse (même si elle a le plus souvent les boucles rebelles).

Son animal de compagnie préféré
Un chat persan.

Son expression favorite
Wonderful !

Son juron, gros mot préféré
You, schmuck !

Son Jules idéal
Daniel Day-Lewis.

Son livre de chevet
Portnoy et son complexe de Philip Roth.

L'objet qu'elle emporterait sur une île déserte
Sa mère.

Son moyen de locomotion favori
The tube.

La personne connue qu'elle rêve d'avoir pour ami(e)
Jacques Derrida (ressuscité).

La North London Girl, européenne et sociable

Ah, la *North London Girl* : tout un programme, social, politique, familial, intellectuel, amoureux et culturel. Princesse d'Hampstead, militante d'Islington, activiste de Belsize Park, intellectuelle de Camden Town, tiraillée entre une mère juive et sa psy de St. John's Wood, ses réflexes casher et son amour pour le *chicken vindaloo*, voici un sacré bout de femme et un véritable tissu de contradictions. Rien à voir cependant avec sa cousine new-yorkaise. Sa névrose n'est pas la même, moins hystérique, plus introvertie et européenne, plus sombre aussi.

Notre *NLG* vit en bande, et elle en a plusieurs : sa famille, ses nombreux cousins et cousines qui sont aussi ses meilleurs ami(e)s, ses copains d'enfance puis d'université, ses collègues, ses flirts passés, présents et à venir. Elle rayonne de cercle en cercle, évolue de groupe en groupe, irradie de clique en clique. Pour elle, la vie est une succession de *do*, autrement dit de soirées, de conférences, de réunions, de rencontres, de débats, de *parties*, de cocktails, de virées, d'expéditions. Vous l'aurez compris, la *NLG* est toujours accompagnée, elle ne fait rien seule et déteste la solitude. Pour elle, l'union fait la force. Elle a rarement cohabité, sauf à Oxford quand elle faisait son *BA*

(*Bachelor of Arts*) de lettres modernes. À 27 ans, un héritage bienvenu l'aide à acheter son premier appartement, non loin de ceux des parents, des cousins et des copines.

Côté mode, c'est la plus continentale des Londoniennes, elle ne jure que par les designers français, italiens ou espagnols. Ou par les vêtements signés Nicole Farhi, elle-même une *North London Girl* et une synthèse de toutes ces influences qu'elle affectionne tant. Farhi, franco-turco-juive d'origine, est installée à Londres depuis plus de trente ans. Fondatrice de la marque French Connection et de sa propre griffe, Nicole Farhi est à la tête d'un empire de mode. Notre *NLG* connaît les quelques règles de l'élégance et, contrairement à ses consœurs de Notting Hill et aux *Essex Girls* (voir p. 267-268) en virée à Londres le samedi soir, elle sait bien que *less is more*, autrement dit, moins elle porte d'accessoires *flashy*, plus elle sera chic. Elle aime les couleurs sombres, unies. Le feu d'artifice de couleur à la *Grungy Girl*, merci, mais ce n'est vraiment pas son genre.

Politiquement, elle vote Labour, comme ses parents et ses grand-parents, même si elle ne se fait plus aucune illusion sur le blairisme. Elle lit *The Guardian*, *Ham & High* et *The Jewish Chronicle*. Elle adore les films de Mike Leigh, va de temps à autre à la synagogue d'Abbey Road, fréquentée par son actrice préférée, Felicity Kendal. Quand un ami français lui rend visite, elle l'emmène au cimetière de Highgate sur la tombe de Karl Marx.

De ses quartiers du nord de Londres, elle adore le fait que l'on doive y grimper comme à Montmartre, comme pour un pèlerinage. Si parfois elle a quelques doutes, l'envie de partir, la vue qu'elle a sur tout Londres depuis Parliament Hill lui rappelle à quel point elle aime sa capitale.

North London Girl vs South London Girl

Attention, *warning, beware,* ne jamais, *never, ever,* confondre la *North London Girl* avec la *South London Girl* ! Ne faites pas cette erreur grossière, ne commettez pas ce crime vulgaire, bref, ne mélangez pas serviettes et torchons. Rien à voir avec le clivage, somme toute assez superficiel, du Rive Gauche-Rive Droite. Non, le clivage dont nous parlons ici relève du gouffre, de l'abîme culturel. Entre la *North London Girl* et la *South London Girl,* comprenez *North* ou *South of the River* (la Tamise), s'étend un océan d'incompréhension et de condescendance. La *North London Girl* imagine en effet qu'elle tient le haut du pavé : elle seule représente la Londonienne, la vraie. La fille d'en face, ou plutôt d'en dessous, de la rive sud, est une véritable plouc, qu'on se le tienne pour dit.

En fait, le snobisme de la *North London Girl* va plus loin, puisqu'elle méprise également ses consœurs des quartiers centraux, ouest et est de Londres. C'est au code postal qu'elle décide de ses amitiés. Soyez prévenue. Vous habitez dans le W1 (Marylebone), W2 (Bayswater), WC1 (Covent Garden), WC2 (Aldwych), W11 (Holland Park) ? Cela veut juste dire que vous avez de l'argent. Pas suffisant pour être élevée au rang de personne dont il serait digne de cultiver l'amitié. Vous êtes plutôt W6 (Hammersmith), W10 (Kensal Rise) ? Vous n'êtes que pauvre. SW1 (Pimlico), SW3 (Brompton) ? Par pitié, *you're just a bore.* E1 (Whitechapel) ? Vous êtes *trendy,* rien de plus. Passez votre chemin, elle ne vous parlera pas. En revanche, dites-lui que vous résidez dans le NW1 (Camden Town, Chalk Farm), mieux, dans le NW3 (Hampstead, Belsize Park), voire dans le NW6 (West Hamspted), le N1 (Islington) ou le N6 (Highgate) et là, ce sera *the beginning of a beautiful friendship.*

London A-Z

La bible pour ne pas se perdre dans Londres car, vous l'apprendrez assez vite, les numéros pairs et impairs se suivent souvent sur le même côté de la rue et les rues portant le même nom sont pléthore. Mais c'est surtout un guide irremplaçable pour déchiffrer le snobisme des Londoniennes, code postal par code postal.

Le snobisme, c'est comme le football : une invention anglaise, aujourd'hui largement pratiquée par le reste du monde. Toujours utile d'en connaître les codes…

Do you speak Yinglish ?

À chaque Londonienne son sabir. « Il n'y a pas plus communautarisée que la langue anglaise », m'avait prévenue un ami à mon arrivée à Londres. Je ne saisissais pas bien ce qu'il voulait dire. Je n'avais appris qu'une forme d'anglais à l'école, en France. Il y en avait donc plusieurs. Bigre, comment allais-je m'en sortir ? Et puis, j'ai compris ce qu'il voulait dire. Chaque quartier a ses tics de langage et ses expressions. Si vous ajoutez à cela la distinction de classe, vous voici en pleine tour de Babel. Oui, à Londres, chaque Londonienne jauge son interlocutrice à la façon dont elle parle, à son accent, son choix de mots, sa grammaire. Pas forcément pour la snober mais plutôt pour la situer dans le kaléidoscope britannique. Imaginez qu'à Paris, nous parlions différemment suivant l'arrondissement, ou même selon le quartier. Bien sûr, il y a les BCBG de Passy et les filles de Ménilmontant mais, franchement, cela fait longtemps que le titi parisien a disparu et que l'accent de Passy n'est plus si haut perché. Le Londres de ce début de XXIe siècle en est toujours au Paris de Victor Hugo avec ses différents patois. Et le patois, ça dit tout de suite à qui vous avez à faire.

Exemple, notre *North London Girl*. Si elle manie la langue du barde avec un sacré savoir-faire, elle ne peut s'empêcher de tester son interlocuteur avec un registre de mots yiddish transmis de génération en génération et dont elle a hérité de ses arrière-grands-parents venus d'Europe centrale. Ces mots lui viennent parfois sans même réfléchir tellement leur usage est entré dans le langage commun et le vocabulaire d'un grand nombre de Britanniques.

Les 10 mots yiddish les plus utilisés

- *Nosh : snack*
- *Schmuck : fool*
- *Zaftig : chubby*
- *Chpiel : a long talk*
- *Schmaltzy : sentimental*
- *Schlep : a long trip*
- *Meschugga : crazy*
- *Nu ? : So ?*
- *Bagel : Bagel*
- *Oy ! : Oy !*

James Levin, professeur de linguistique à l'université de Southampton, explique que la majorité des 280 000 Juifs britanniques étant d'origine ashkénaze, le yiddish a pu influencer la langue anglaise, notamment à travers le cockney, le patois de l'East End, quartier où se sont établis de nombreux réfugiés juifs au début du XXᵉ siècle.

Alors, si un jour vous entendez la *North London Girl* s'écrier en vous voyant « *What a beautiful schmatta you're wearing!* », vous comprendrez qu'elle fait référence à votre jolie robe Agnès B. Même si *schmatta* a un côté ironique puisqu'il veut dire… chiffon. Souriez, c'est un compliment. Si un jour vous exagérez, elle parlera de votre *chutzpah* ou du fait que vous êtes *cheeky*, culottée, quoi.

Décryptage

La collection Abson Books a édité des petits lexiques et dictionnaires de poche spécialisés dans les dialectes et argots de la langue anglaise. Pour les amoureux des mots et les linguistes, ces petits ouvrages sont à la fois instructifs et hilarants. Vous voulez parler comme les Beatles ? Achetez leur *Scouse-English Glossary*. Vous voulez enfin déchiffrer le cockney, le patois du Yorkshire, parler hip hop ou encore l'anglais des repris de justice, alors précipitez-vous. Ils ne coûtent que quelques livres… sterling. Leur site : www.absonbooks.co.uk.

Freud, mon voisin

Contrairement à la New-Yorkaise, notre *NLG* ne se vante pas d'aller consulter le psy une (et parfois même cinq) fois par semaine. Elle le garde pour elle ou ne le confie qu'aux proches. Au début, elle se sentait gênée, « 25 ans et déjà chez le psy trois fois par semaine : je ne le criais pas sur les toits », raconte Rachel, une brune piquante, qui a consulté pour la première fois après le départ de son premier amour pour les États-Unis. Si elle ne le criait pas sur les toits, comme elle le dit, ce n'est pas par préjugé, mais plutôt par discrétion.

Les *North London Girls* sont en effet convaincues de l'utilité de la psychanalyse depuis qu'elles sont en âge de lire et de poser des questions. Après tout, nombreuses sont celles qui passaient sur le chemin de l'école, deux fois par jour, devant la maison du grand Sigmund. « J'ai appris le principe de la psychanalyse alors que je lisais encore le *Club des Cinq* ! Je me souviens très bien d'Anna, la fille de Freud, une vieille dame avec un accent autrichien à couper au couteau ! », plaisante Rachel, productrice pour une chaîne de télévision, habillée Max Mara de pied en cap.

Trois grandes institutions britanniques de la psychanalyse

- British Association of Psychotherapists :
www.bap-psychotherapy.org
- London Centre for Psychotherapy : www.lcp-psychotherapy.org.uk
- Westminster Pastoral Foundation : www.wpf.org.uk

« Même si nous nous sentons très proches de l'Europe de par nos racines, bien plus que l'ensemble des

Britanniques, nous sommes terriblement anglaises dans ce sens où nous ne parlons pas de douleur, morale ou physique, en public. » En Grande-Bretagne, la douleur, c'est comme le sexe, on l'ignore ou on essaie d'en rigoler. Si notre *NLG* utilise comme l'Américaine le terme *shrink* pour désigner son psy, elle n'en parle pas. « Je l'ai fait une fois, dans un dîner, cela a jeté un froid. Alors je ne le fais plus. » Attitude britannique par excellence, *stiff upper lip,* on serre les dents et on avance.

Kosher or not kosher ?

Notre *North London Girl* est percluse de contradictions. Arborant tous les signes de l'intellectuelle tour à tour sévère et branchée, de la femme libre et insoumise, professionnellement et amoureusement, nous la croyions affranchie (hormis de sa mère dont elle a secrètement besoin en toute occasion), nous la pensions libérée, donc, de toute superstition. Un jour pourtant, à table, elle n'a pas touché au poulet, ni aux crevettes, et a demandé le nom du poisson. Quand elle a su que c'était de la raie, elle a redemandé du riz.

Quand on parle de Dieu, elle éclate de rire, déclare ne pas y croire. Elle se dit athée… mais mange casher. Et possède deux jeux de vaisselle chez elle, pour quand ses cousins « religieux » lui rendent visite. Mais manger casher, c'est être pratiquante, non ? « Tu plaisantes, cela n'a rien à voir. C'est culturel, explique Devorah, philosophe au QI de 145. Manger casher, pour moi, c'est comme acheter une baguette pour une Parisienne. » C'est drôle, mais je ne vois pas du tout les choses comme ça. Commence une longue et interminable discussion sur ce qui relève du religieux et ce qui relève du culturel. La conversation dure encore.

Quand l'Inde se met au casher

La célèbre bière indienne Cobra a passé l'examen du Beth Din de Londres. Le Grand Rabbin de Grande-Bretagne, le très médiatique Jonathan Sacks, pourra dorénavant manger son *shawarma* ou son poulet tikka masala casher accompagné d'une Cobra, bière légère qui ne vous remplit pas d'air mais de saveurs exotiques.
Les trois meilleures tables *kosher* sont : **Kaifeng, Six13 et Reubens**.

Dans un pays où, contrairement à la France, l'État et l'Église n'ont jamais été séparés, où la reine remplit à la fois les rôles de chef d'État et de « papesse » en chef de l'Église anglicane, les sphères publiques et privées, culturelles et religieuses, se confondent allègrement. Ainsi, les Britanniques estiment que l'excision des petites filles dans les familles d'origine africaine est une affaire culturelle, relevant du domaine privé de la famille, et donc acceptable, car n'appartenant pas à la sphère politique et publique.

« Manger casher, c'est peut-être pour faire plaisir à mes parents, c'est aussi un peu une madeleine de Proust qui me rappelle les dîners chez mes grands-parents. En fait, je n'y ai jamais vraiment réfléchi, estime Devorah. Et puis, dans un pays où la tradition culinaire n'est pas très ancrée dans les familles, et où la gastronomie n'est ni très riche, ni exceptionnelle, finalement, je n'ai jamais eu l'impression de perdre au change ! »

Joutes verbales

En France, on va au café pour discuter le bout de gras et les derniers scandales politiques avec les potes, on croise parfois le verbe avec les habitués du quartier ou les inconnus de passage au comptoir, on « philosophise » sur le zinc dès 8 heures du matin, pressé mais toujours intéressé de dire ce qu'on pense. La *North London Girl*, elle, se rend à des débats publics où l'on expose les arguments, les dissèque, les analyse, les commente en public. Il y a des experts sur scène et le public dans la salle, on s'écoute poliment entre gens civilisés, le ton monte rarement. En revanche, comme à Wimbledon ou au Parlement de Westminster, le public grogne : joyeusement pour saluer un bon argument ou une bonne repartie, légèrement désapprobateur en cas de désaccord. Comme presque tout en Grande-Bretagne, la politique et le débat constituent un sport. L'idée est de rester fair-play et que le meilleur gagne ! En France, nous parlons les uns sur les autres, nous ne nous écoutons guère, les débats se transforment en foires d'empoigne.

La *NLG* se précipite à chaque conférence que donne un philosophe célèbre, un scientifique nobélisé, un écrivain sexy, un politicien qui a le vent en poupe. « Pour moi, c'est plus naturel que d'aller au cinéma, explique la grande Wendy, toute de noire vêtue, styliste dans la vie. Vu le prix de la place de ciné à Londres [jusqu'à 25 euros], je préfère aller écouter Michael Palin [l'un des Monty Python] parler de son dernier voyage en Chine. » Le débat dans la tradition anglaise est l'occasion de joutes insensées, de plaisanteries à rallonge, bref, c'est une comédie permanente garantie, entrecoupée de quelques moments sérieux. Rien à voir avec nos conversations à la française : intenses, sérieuses, intellectuelles, graves et solennelles.

Simon Hoggart

Tous les jours dans *The Guardian*, il décrypte de façon hilarante les échanges et débats au Parlement. Pour se moquer du troisième parti politique de Grande-Bretagne, les Lib Dem, qui n'ont gouverné qu'une fois (en 1923), il appelle leur leader « le chef de bande des hamsters, et comme on le sait, les hamsters sont très dangereux ».

Wendy a pris ses habitudes à la Royal Geographical Society, là où chaque semaine font fureur les débats de l'association IQ^2 (Intelligence Quotient Puissance 2), parrainée par le quotidien *The Times*. Dans cet amphithéâtre de 900 places, le public se retrouve pour débattre d'un sujet en particulier. Par exemple : « A-t-on le droit de tout dire ? », « Aujourd'hui, nous sommes tous féministes », « On ne doit jamais négocier avec des terroristes ». Oui, cela ressemble au sujet d'une dissert de philo ou d'un grand oral à Sciences Po. Il faut les comprendre, les pauvres Britanniques, ils n'ont jamais étudié la philo au lycée, alors, forcément, ça leur manque.

Philo mais façon match de tennis à Wimbledon car il faut choisir son camp dès son arrivée. « En entrant dans la salle, nous disons aux appariteurs si nous sommes pour ou contre ce que nous appelons la *motion*. Les organisateurs nous annoncent avant le début du débat où se situe l'opinion générale. La dernière fois, au débat "A-t-on le droit de tout dire?" sur le sujet de la liberté d'expression, nous étions, en entrant, 450 pour, 250 contre et 200 indécis. À la fin des débats, après avoir entendu les arguments des uns et des autres, nous revotons pour voir comment le débat nous a influencés. En général, ce sont les indécis qui prennent position. Il leur arrive, mais c'est rare, de renverser la situation. »

Parfois, en effet, l'un des participants au débat, de par son attitude, remonte le public contre ce qu'il défend. Comme en novembre 2003, lors d'un débat sur l'Europe. Élisabeth Guigou, sans doute peu habituée à ce genre de rencontre, a été huée par le public qui la trouvait « hautaine », « condescendante », « docte ». Française, quoi! Wendy s'en souvient encore : « Résultat, au début, le public était plutôt pour l'Europe et en sortant, il était en majorité contre! » Merci Élisabeth!

French connection

Pour les Françaises, la Londonienne s'habille soit très conservateur, du genre *sloaney*, soit très cher et classique comme la *Posh* de Mayfair, soit *trashy* telle Victoria Beckham, soit *grungy* à la Cure, soit *flashy* façon Paris Hilton, ou encore rasta à Brixton et sari à Brick Lane. Bref, pour nous, la Londonienne n'arrive jamais vraiment à être élégante et discrète comme Audrey Hepburn. Elle en fait trop ou pas assez. Eh bien, détrompez-vous, il existe un type de Londonienne, la *North London Girl*, qui partage notre sens inné de l'élégance et du minimalisme chic. Évidemment, elle n'y arrive pas à chaque coup, ce serait trop beau – et heureusement car elle nous ferait de l'ombre, la coquine –, mais disons, qu'en gros, elle a du flair pour se nipper.

L'une de ses designers fétiches est justement d'origine française mais elle est en fait beaucoup plus que cela car elle conjugue à elle seule l'Occident et l'Orient. Fille de parents turcs d'origine juive, née à Nice, elle fait ses études à Paris, commence sa carrière à Milan et s'installe définitivement à Londres dans les années 1970. Son nom : Nicole Farhi. Une Agnès B. multiculturelle. Fondatrice de French Connection, elle a ensuite bâti toute seule son empire de prêt-à-porter féminin, puis masculin, ouvert deux restaurants et une ligne pour la maison. Sa boutique historique loge bien sûr au cœur de Hampstead, le fief de notre *NLG*.

« Ce que j'adore dans sa ligne de vêtements, c'est le *casual chic*, explique Wendy, architecte d'intérieur et fan de la première heure. Avant Nicole Farhi, cette tendance vestimentaire, qui n'étonne personne en France ou en Italie, n'existait tout simplement pas ici, en Grande-Bretagne. Pendant longtemps, j'achetais mes vêtements lors de mes voyages sur le Continent. » Autrement dit, entre l'outrance de Vivienne Westwood, le style mémère de Marks & Spencer et la très traditionnelle Laura Ashley, la *NLG* a longtemps eu du mal à trouver sa place.

Nicole Farhi, avec sa ligne pour la maison, fait pour la Grande-Bretagne ce qu'Armani a développé pour l'Italie : une signature simple et élégante à porter ou à meubler (mais nettement plus abordable que son équivalent italien). À l'école du costume strict des tailleurs de Jermyn Street, les modèles de Farhi opposent la nonchalance méditerranéenne, des matières souples et brutes comme la soie, le lin, le coton. Côté couleurs, des tons sable, nuage, sourds et reposants. « Rien d'électrique ou de psychédélique à la Beatles ! », commente Wendy. Avec la *North London Girl*, on ne dira plus que les Anglaises ne savent pas s'habiller.

Brit art

« Je me souviens de l'ouverture, à côté de chez moi sur Boundary Road, de la première galerie d'art de Charles Saatchi. J'avais 11 ans. Un samedi, j'accompagne ma mère. Je n'avais jamais vu d'art contemporain de ma vie, ni d'espace pareil. Je n'avais jusque-là fréquenté que des musées, des espaces classiques. Ce fut un choc. » Corinna, *Hampstead Girl* depuis toujours, aujourd'hui professeur de violon à la célèbre Guildhall de Londres, a développé depuis ce jour une curiosité toujours renouvelée pour l'art contemporain.

« Dans les années 1980, amateurs et collectionneurs ne juraient que par New York et les artistes américains en général. D'ailleurs, au début, Charles Saatchi achetait en majorité des œuvres d'artistes américains. Et puis, cela a changé en 1988 avec *Freeze*. On peut dire qu'il a vraiment senti le vent tourner. »

À la fin des années 1980, une nouvelle génération de *Young British Artists*, les *YBA* comme Saatchi les baptisera très vite, sort du fameux Goldsmiths College et organise elle-même son exposition de fin d'études qu'elle intitule *Freeze*. Un artiste en particulier, Damien Hirst, symbolise à lui tout seul ce nouvel esprit, cette nouvelle tendance, l'artiste génie du marketing. Son immense requin coupé en rondelles et conservé dans des grands tanks de formol devient le symbole de cette génération, dirons-nous, carnivore. Saatchi se fait son ange-gardien, son banquier et acquiert ses œuvres. Damien Hirst, Jenny Saville, Sarah Lucas, Gavin Turk, les frères Chapman, Rachel Whiteread, Chris Ofili, plus tard Tracey Emin sont ainsi poussés sur le devant de la scène par leur mentor. Plusieurs expositions sont organisées dans les années 1990 dont la fameuse « Sensation » à la Royal Academy qui fait boum, choque les critiques, enrage le public et attire plus de 300 000 personnes. L'exposition consacre Londres comme la capitale mondiale de l'art contemporain. Bientôt, Christie's ouvre son premier département consacré à l'art contemporain.

« Il faut se souvenir de ces années-là. La fin de dix-huit ans de pouvoir conservateur, l'arrivée du plus jeune Premier ministre britannique, Tony Blair. Londres émergeait soudain comme *la* capitale du monde, ce qu'elle est en partie d'ailleurs restée. » Rien de tel en effet qu'une longue période de frustration politique et sociale (les années Thatcher et Major) pour finir par faire sauter le bouchon. Les *YBA* ont entrepris de choquer, de toucher le public aux tripes, de tourner le couteau dans la plaie, de gagner leur titre d'empêcheurs de tourner en rond. « Vous, les Français, vous aimez plaire, ou contredire. Nous, nous adorons choquer, c'est dans nos gènes », rappelle Corinna. Difficile de lui donner tort.

Je me rappellerai en effet longtemps de la soirée d'ouverture de la deuxième galerie de Saatchi au County Hall en avril 2003. À la foule des invités se mélangent soudain, sous la direction de Spencer Tunick, deux cents personnes nues. Aucun malaise affiché, les Britanniques font comme si de rien n'était. L'idée : ne pas être choqué, ne pas montrer que nous sommes dans une situation hors norme. Pardon, quelle norme ?

Cependant, depuis 2004 et l'incendie qui a ravagé une partie de sa collection, notamment la tente de Tracey Emin exposée lors de « Sensation », Saatchi a changé de direction, se consacrant de plus en plus à la peinture figurative. Il a également commencé à vendre les œuvres de sa collection de *YBA*. En décembre 2004, le requin de Hirst s'est vendu pour 11 millions d'euros (Saatchi l'avait acheté 75 000 euros en 1991). « Pour nous, l'art, c'est comme l'immobilier : un marché qui peut rapporter gros », explique Corinna.

Est-ce la fin des *YBA* ? Pour elle, cela ne fait pas de doute : « Ils ont maintenant la quarantaine et sont devenus riches, de véritables entrepreneurs comme Damien Hirst. » Saatchi va en dénicher d'autres, c'est sûr.

SUPER COLLECTOR

Né à Bagdad en 1943, ses parents fuient les persécutions contre les Juifs et installent la famille à Londres dans le quartier de Hampstead en 1947. À 18 ans, Charles crée avec son frère Maurice une agence de publicité. En 1978, la campagne qu'ils conçoivent pour Margaret Thatcher semble jouer un rôle crucial dans l'élection de la Dame de Fer. Leur réputation est faite. Leur agence devient la plus importante au monde. En 1988, évincés de leur propre agence, ils en créent une autre, M&C Saatchi. Leurs clients les suivent. Charles, alors marié à une Américaine amateur d'art, a commencé dès le milieu des années 1970 à acheter et collectionner des œuvres d'artistes contemporains essentiellement américains, puis britanniques. En 1985, il ouvre sa première galerie à St. John's Wood, dans une ancienne usine de peinture de 3 000 m². Puis il transfère sa collection en 2003 au County Hall sur les bords de la Tamise. En 2005, en raison de relations orageuses avec son propriétaire, un homme d'affaire japonais retors, il est à nouveau forcé de déménager, cette fois vers Chelsea et Kings

Road, dans un espace de plus de 5 000 m², le Duke of York's building (ouverture prévue début 2008 à l'heure où nous écrivons). Charles est aujourd'hui marié avec Nigella Lawson (sa troisième femme), chef sexy et fille de l'ancien ministre de l'Économie de Margaret Thatcher.

FREUD, MON VOISIN
Freud Museum
Sigmund Freud, réfugié à Londres en 1938, a vécu dans cette maison jusqu'à sa mort, le 23 septembre 1939. Psychanalyste comme son père, sa fille Anna y a vécu et y a reçu ses patients jusqu'en 1982. Elle a gardé intact le bureau de son père, copie conforme de son bureau viennois. La maison a été transformée en musée.

20 Maresfield Gardens
London NW3
020 7435 2002

KOSHER OR NOT KOSHER ?
Kaifeng
51 Church Road
London NW4
020 8203 7888

Reubens
79 Baker Street
London W1
020 7486 0035

Roni's Bagel
250 West End Lane
London NW6
020 7794 6663

Six13
19 Wigmore Street
London W1
020 7629 6133

JOUTES VERBALES
Intelligence Squared
Les débats ont lieu à la Royal Geographical Society.

1 Kensington Gore
London SW7
www.intelligencesquared.com

Hay Festival

Hay-on-Wye, festival de littérature et de débats publics, parrainé par *The Guardian*, qui a lieu chaque année aux mois de mai et juin. « Le Woodstock de la pensée », selon Bill Clinton.

The Drill Hall
25 Lion Street
Hay-on-Wye HR3 5AD
087 0990 1299
www.hayfestival.com

The National Theatre

Le **National Theatre** organise chaque semaine des *platforms*, rencontres-débats d'une heure avec une personnalité des arts et des lettres. On y a vu PD James et Ruth Rendell battre le verbe au sujet du roman policier et le journaliste vedette de la BBC Andrew Marr expliquer son métier de reporter.

www.nationaltheatre.org.uk
South Bank, London SE1
020 7452 3000

FRENCH CONNECTION

202

202 Westbourne Grove
London W2
www.nicolefarhi.com

Joseph

23 New Bond Street
London W1
0207 629 3713

Nicole Farhi

27 Hampstead High Street
London NW3
020 7435 0866

Nicole's

158 New Bond Street
London W1
020 7499 8408

BRIT ART

White Cube

Une galerie incontournable pour qui aime l'art *brit*, en particulier les fameux Young British Artists, dont le credo, « choquer pour vendre », ne se dément pas.

48 Hoxton Square
N1 6 PB
020 7930 5373
www.whitecube.com

7 La princesse de l'Empire

Le questionnaire pintade

Sa coupe de cheveux préférée
Long, lisse et soyeux.

Son animal de compagnie préféré
Son sac Gucci.

Son expression favorite
Badmash ![1]

Son juron, gros mot préféré
Kiss my chuddies ![2]

Son Jules idéal
La star de cinéma Shahrukh Khan.

Son livre de chevet
Songs at the river's edge de Katy Gardner.

L'objet qu'elle emporterait sur une île déserte
Ses mules Bisma.

Son moyen de locomotion favori
Voiture avec chauffeur.

La personne connue qu'elle rêve d'avoir pour ami(e)
L'ancienne miss Univers Aishwarya Rai (« Ash »
pour les intimes).

---

1. *Naughty !*
2. Autrement dit : *Kiss my ass !*

La princesse de l'Empire, riche, pauvre et ethnie

Elles sont belles, la silhouette déliée, l'allure légère, le regard liquide ou de braise, le cheveu long couleur jais. Elles vivent à l'occidentale, se déhanchant pour le plaisir des hommes fumant le narguilé sur les trottoirs d'Edgware Road ; à l'orientale, voilées des pieds à la tête, le bout de leurs mules Gucci dépassant à peine de leur abaya ; ou encore à la caribéenne, les cheveux noués en un haut turban de tissu imprimé. Ce sont les princesses de l'Empire.

Travailleuses ou oisives, elles se sont créé un Londres à elles, fait de marchés exotiques, d'instituts de beauté aux secrets bien gardés, de restaurants où elles aiment se transformer en cracheuses de feu, de boutiques-usines où l'on passe commande par téléphone, de nouvelles tendances qui, bientôt, feront pâlir d'envie leurs sœurs londoniennes.

Politiquement, elles sont traditionnellement Labour. Old ou New, elles s'en fichent du moment que les travaillistes luttent pour l'égalité des chances et le respect des différences. Elles se sentent les dignes héritières du mouvement *ska* qui, avec ses damiers à carreaux bicolores, revendiquait haut et fort l'entente entre Blancs et Noirs, notamment durant les fameuses émeutes de Brixton au début des années 1980. Cela dit, les plus riches d'entre elles seraient tentées de voter avec l'*establishment* conservateur, question de statut et de respectabilité.

Cela fait longtemps que les films de Hollywood les ennuient à mourir, elles leur préfèrent les films de Bollywood, alternative sentimentale et politique à l'impérialisme culturel yankee. Elles rêvent jour et nuit de rencontrer Shahrukh Khan, le don juan de Bombay.

Leur corps de liane, elles l'entretiennent en dix minutes de *bhangra,* danse traditionnelle indienne. Pas besoin de suer comme une bête dans un club de gym quand on peut transpirer avec grâce. Pour elles, la spiritualité est importante, surtout quand elle devient *trendy* ; pour aménager et décorer leur maison, elles troquent volontiers le Feng Shui pour *the real thing*, le Vastu.

Originaires du Proche et du Moyen-Orient, elles se retrouvent plus volontiers à Edgware Road, Maida Vale, où marchands de journaux, bistrotiers, épiciers, restaurateurs, designers et pharmaciens importent les produits qui font rage à Damas, Beyrouth, Amman, Nicosie, ou encore au Caire. Les princesses d'Inde, elles, ont souvent élu domicile à Neasden, Wembley, Brick Lane, Ealing et Southall, où les panneaux indicateurs sont écrits en anglais et en hindi. Quant aux princesses originaires des Caraïbes, elles se retrouvent plutôt au nord de Notting Hill et, bien sûr, à Brixton.

Ni modèle français républicain d'intégration, ni melting-pot américain, le multiculturalisme à l'anglaise préfère la juxtaposition des cultures. Libre aux différentes communautés de vivre selon leurs coutumes, du moment qu'elles ne vont pas à l'encontre des traditions britanniques. Un modèle remis en question après les attentats de juillet 2005 et les attaques terroristes déjouées en août 2006. La vie de ces Londoniennes, héritières d'une histoire riche et contrastée, est faite de fortes traditions familiales et de la liberté qu'offre une capitale comme Londres. Certaines ont l'impression de mener une double vie, habillées en tailleur le jour et en sari le soir, d'autres vivent cette différence avec optimisme et élan, faisant de leur richesse culturelle un atout.

La spiritualité hindoue appliquée à la décoration d'intérieur...

Oubliez le Feng Shui, voici le Vastu ! Nisha, décoratrice d'intérieur se partageant entre Bombay et Londres, est catégorique : « Aujourd'hui, à Londres, on ne jure plus que par le Vastu. » Ce nouveau mantra en matière de philosophie de la maison serait en fait l'ancêtre du Feng Shui, non pas originaire des hauts plateaux tibétains mais d'Inde, évidemment.

Cette ravissante Londonienne aux allures de star de Bollywood, yeux verts et longs cheveux noir corbeau, a arrangé son bureau-loft selon les préceptes du Vastu. « Le principe clef tourne autour de l'énergie. Notre énergie, nos sentiments, nos pulsions, nos actions sont fortement influencés par notre environnement. Celui-ci doit être arrangé en accord avec l'énergie de la nature. » Mais encore ? « Par exemple, idéalement, une maison doit être aérée par le nord-ouest, recevoir l'eau au nord-est, conserver le feu au sud-est, et être en contact avec la terre au sud-ouest. L'espace à vivre doit se trouver au milieu de toutes ces forces. » Tout cela ne nous dit pas où placer notre lit. Nisha continue sa conférence en ésotérisme : « La philosophie du Vastu, conçue autour de la vie en couple, présuppose qu'une maison réconcilie la force féminine, qui se trouve au nord, avec la force masculine, venant de l'est. » Et si l'on est célibataire ? Nisha fronce les sourcils.

Concrètement, que conseille exactement le Vastu ? « L'essentiel est de toujours garder une maison propre et de faire la chasse aux bibelots inutiles et aux tas dans les coins. Au besoin, faire construire des armoires pour tout ranger. » Ordre et minimalisme ? Jusqu'ici rien de révolutionnaire. « Chaque pièce doit avoir une fonction précise. La chambre doit uniquement être un lieu de relaxation, un espace où l'on recharge ses batteries. Surtout pas de couleurs vives. Un lit en bois et pas en métal car ce matériau interagit avec les forces magnétiques. Le lit doit être dirigé vers le sud ou vers l'est. » Tiens, ça, c'est nouveau.

Selon le Vastu, la cuisine est la pièce la plus importante de la maison. Idéalement, elle doit se trouver au sud-est et comporter des couleurs vives comme le rouge et l'orange. Mais surtout, jamais de vaisselle sale dans l'évier. « La cuisine doit être im-pec-ca-ble, martèle Nisha. Sinon Lakshmi, la déesse de la prospérité et de la beauté, ne s'invitera jamais chez vous. » Aïe ! La géométrie est aussi importante : avoir des objets de forme pyramidale et triangulaire favorise le brassage des énergies positives. Disposer un aquarium au nord-est est un *must*. Les photos de défunts qui nous sont chers doivent exclusivement être placées sur le mur ouest de la maison et les miroirs uniquement sur les murs nord et est.

Chez elle, Nisha a respecté chaque précepte du Vastu. Son intérieur est sobre, hormis le coin cuisine, aux tons rouges et jaunes. Les couleurs, gris et beige, l'ameublement, minimaliste, l'ordre et la propreté, les matériaux, principalement du verre et du bois, confèrent à son espace une impression de calme et sérénité. On dirait même de volupté. Cela dit, le Vastu ressemble à l'une de ces idées géniales des as du marketing pour nous faire dépenser et consommer davantage.

Pour l'instant, le concept fait surtout un tabac chez les *British Asians*. Mais selon un agent immobilier du quartier de Maida Vale : « Il ne fait aucun doute que cette nouvelle tendance gagnera bientôt les Londoniens *trendy* qui ont les moyens. »

À NEASDEN, ON PRIE BRAHMA, KRISHNA ET IKEA

Neasden, banlieue industrielle. Vingt minutes de marche dans un *no man's land* d'acier rouillé et de béton, enfumé par les pots d'échappement de l'autoroute North Circular. Au détour de Brentfield Road, après avoir croisé un magasin Ikea et une station essence Texaco, on croit au mirage. Au-dessus d'une ligne monotone de petites maisons identiques en brique marron se dressent les dômes immaculés de Shri Swaminarayan Mandir, le temple hindou de Neasden. Chapeautés d'or et de petits drapeaux blancs à rayures rouges flottant au vent, les dômes encadrent un majestueux escalier menant à la salle de prière. Le temple hindou le plus grand du monde – en dehors de l'Inde, bien sûr – accueille chaque semaine des dizaines de milliers de Londoniennes parées de leurs plus beaux saris. Un mélange chatoyant de brocarts, de mousselines et de soies sauvages aux reflets bicolores, lamés ou moirés. Mais n'imaginez pas en apprendre plus sur les rites hindous en discutant avec elles. Ici, les femmes restent entre elles, avec les anciennes et les enfants.

Seuls les hommes vous parleront. Ne manquez pas, à 20 h 30, le bain, le dîner et le coucher des dieux (des statues de la taille de grandes poupées de foire).

Beauté Bisma

La première fois, j'ai failli m'évanouir. Vision paradisiaque. Il faut dire que portées par une superbe brune d'un mètre quatre-vingts, mince et en minijupe, on ne voyait que ça. Je veux parler des sandales légionnaires de la marque Bisma. Des sandales à taillons aiguilles, à la semelle dorée et aux lacets rigides en strass, montant jusqu'au genou.

Ces sandales ne sont qu'un exemple parmi d'autres de la collection féerique de chaussures faites par des Britanniques d'origine indienne pour leurs princesses des mille et une nuits. Bisma, dont l'usine se trouve à Birmingham, confectionne, dans toutes les déclinaisons de couleurs les plus vives, mules, chaussons, tongs, ballerines, sandales à paillettes et strass.

Bisma shoes

Les chaussures Bisma sont un secret tellement bien gardé qu'il n'existe à ma connaissance aucun revendeur dans la capitale britannique. Après un incendie ayant ravagé leur usine en 2003 et réduit en cendres plus de 10 000 paires de chaussures, Bisma a même cessé de prendre des commandes sur son site Internet. D'ailleurs, de site, il n'y en a plus pour le moment (un nouveau, tout beau, est en cours de construction). Résultat, il faut passer commande par téléphone… ou se rendre à Birmingham. À noter : les sites www.unze.co.uk et www.bollywood.co.uk vendent par correspondance quelques-uns des modèles Bisma. Coût moyen, environ 150 euros la paire de sandales.

Les princesses de l'Empire ont leurs marques à elles, faites spécialement à Bradford ou Birmingham, les grands centres de la communauté indo-pakistanaise. Priti, designer indépendante de 35 ans qui vend ses saris sur le marché de Spitalfields tous les week-ends, confirme : « C'est vrai, nous ne nous habillons pas de la même façon que les autres filles en Grande-Bretagne. Notre culture, qu'elle soit culinaire, vestimentaire ou spirituelle, est très forte. Nous avons d'ailleurs nos propres magazines féminins comme *Asiana*, notre *Marie Claire* à nous. Nous avons nos instituts de beauté, nos restaurants, nos temples ou nos mosquées, nos écoles. Pour la mode, mes amies et moi commandons beaucoup de soieries ou de modèles directement de Bombay, que nous marions souvent avec des vêtements comme des jeans. En un sens, on peut dire que nous vivons dans le même pays que les Britanniques, mais séparées. »

Pour porter ces merveilles, encore faut-il avoir des jambes et des pieds impeccables. La pédicure mensuelle, ce n'est pas suffisant. *Self-tanning* répond Priti. Quoi ? Les Indiennes utilisent de l'autobronzant ?! « Vous faites toujours cette erreur de croire que notre teint tient de la nature. Eh bien, nous aidons la nature. Pas pour avoir la peau plus mate, mais pour obtenir ce teint bronzé or qui fait la réputation de nos *miss India*. » Et quel est le truc pour arborer le même *glow* que les stars de Bollywood ? L'Airport Auto de la marque St. Tropez. « Le soin ne coûte que £ 50 et dure 20 minutes dans une cabine futuriste. En fait, au lieu de se faire brûler la peau avec des UV, un spray nous asperge tout le corps et le visage d'un crachin d'huile autobronzante. »

Mais son vrai secret de beauté, Priti le tient de sa grand-tante Zelda, une grande beauté des années 1940. « Après avoir bien lavé et séché mes pieds, je les couvre d'une couche de beurre de karité et j'enfile une petite paire de chaussettes en coton. Je vais me coucher et le lendemain, j'ai des pieds de bébé. »

Hot baby

Notre princesse est une *hot baby*. Rien à voir avec son sex-appeal. Elle aime tout ce qui est épicé. Avoir la bouche en feu, c'est dans ses gènes. Quand elle fait son marché, elle va là où les odeurs sont bonnes et fortes. Les supermarchés anglais où les fruits rabougris n'ont aucun goût et où les légumes coûtent des fortunes, très peu pour elles. Elle est prête à faire une heure de *tube* s'il le faut pour une mangue bien juteuse et une queue de cochon digne de ce nom.

Où manger un bon curry

Oubliez Brick Lane, c'est bon pour les touristes. Dans le quartier indien de Wembley : **Palm Beach** propose une cuisine du Sri Lanka et du sud de l'Inde. Ealing Road regorge de restaurants indiens, végétariens ou non.

Dans le centre de Londres : **The Punjab Restaurant**, au cœur de Covent Garden, propose des spécialités du Penjab. Des Sikhs enturbannés à l'allure altière vous serviront un nan du Peshawar (*peshawari nan*) truffé à la noix de coco et aux raisins secs.

Dans le centre : **The Standard**, moins connu que son voisin Khan's mais bien meilleur. Décor simple, accueil professionnel, prix modérés et cuisine succulente.

Pour retrouver les saveurs indiennes, elle va à Southall, à l'ouest de Londres, pas loin de Heathrow. C'est le *Little India* de Londres. Tout a commencé dans les années 1950 quand un industriel, fabricant de caoutchouc, a engagé sans compter des centaines d'ouvriers panjabi. La communauté s'est développée au point de transformer cette banlieue anglaise en Petite Inde. Aujourd'hui, Indiens, Pakistanais, Bengalis et Afghans cohabitent avec les nouveaux immigrants de l'Europe des 25, de Pologne en particulier.

Southall et son marché, c'est le plaisir des sens. Il suffit de passer le pub Glassy Junction sur South Road et vous voilà comme projeté au cœur du sous-continent indien. La foule, dense, essaie de se frayer un chemin à travers les étals. On y vend de tout, de la volaille vivante prête à être plumée, des chevaux et des chèvres. Les marchands de saris disputent la vedette aux épiciers et vendeurs d'encens, ou encore aux barbiers afghans. Les connaisseurs font la queue devant Rita's Samosa Centre où l'on commande au comptoir avant de s'installer à de longues tables d'hôtes rudimentaires. Les habitués commandent les fameux samosas, beignets en triangle, de Rita, mais également l'*Alu Tikki Chaat*, un mélange divin de pois chiches, oignon, yaourt et pomme de terre. Ils n'utilisent jamais leurs couverts et se servent du pain pita comme d'une cuiller.

Pour retrouver les odeurs de Jamaïque, la princesse afro-caribéenne trouve son bonheur à Brixton, sur les étals d'Electric Avenue : viande de chevreau, steaks de requin, queues de cochon, okras et yams. *Yummy.* Mais aussi des perruques de cheveux naturels, et pas si naturels, des poissons exotiques à manger ou à admirer en aquarium, le tout sur un air de reggae.

Les princesses saoudiennes et libanaises, si elles font rarement la cuisine elles-mêmes, ont cependant un (énorme) faible pour les *baklawas* qu'elles dégustent à l'heure du thé à la menthe avec leurs amies. C'est leur péché mignon, qu'elles combattent avec vaillance lors de leurs cours de danse de *bhangra...*

Middle East

Edgware Road regorge d'épiceries, de petits restaurants et de bars à jus saoudiens et libanais. Difficile de choisir entre **Fatoush**, **Maroush**, **Ranoush**, **Beirut Express** et **Al Arez**. Ces bars sont tous bons mais le préféré de Haifa, une amie libano-irakienne installée à Londres depuis plus de vingt-cinq ans, est sans aucun doute Ranoush. Quand elle est pressée, elle commande un *felafel* à emporter et un jus frais de mangue ou de melon. Pour ses courses, elle traverse la rue pour se rendre chez **Green Valley**. Là, elle achète une fois par semaine ses pâtisseries préférées : *baklawa* à la pistache, *meghli* (flan aux épices), *mehallabieh* (entremets au lait parfumé) et *nammoura* (gâteau de semoule).

RECETTE DE HAIFA : MEHALLABIEH
(CRÈME DE RIZ À LA ROSE)

50 g de riz rond

25 g de farine de maïs

1 litre de lait entier

75 g de sucre blanc

3 cuillérées à soupe d'eau de rose

100 g d'amandes pilées

Mélanger en une pâte compacte un peu de lait, de riz et de farine de maïs. Porter le reste du lait à ébullition et y ajouter la pâte. Ajouter le sucre et l'eau de rose. Bien remuer le tout à feu doux pendant environ 15 minutes. Ajouter les amandes, puis retirer la casserole du feu. Remplir des ramequins et mettre au réfrigérateur plusieurs heures. Servir avec du miel.

Bollywood workout

Les films de Bollywood

Ils sont tournés en deux semaines, durent souvent quatre heures, racontent des histoires d'amour impossibles, des mélodrames familiaux entrecoupés de numéros de chant et de danse. Les filles sont incroyablement belles, les hommes un peu gras et l'air niais. Jamais de sexe, parfois un baiser chaste. Et leurs stars sont des vedettes planétaires.

À l'affiche dans les multiplexes des grandes villes du nord de l'Angleterre mais également de Londres, les films de Bollywood connaissent un succès commercial à faire pâlir d'envie un cinéma anglais écartelé entre Hollywood et la télévision. Plusieurs dizaines d'entre eux atteignent chaque année les grands écrans britanniques et les plus populaires se chargent de pulvériser les records au box-office.

Vous trouverez les derniers films de Bollywood, mais aussi de la musique et toute l'actualité indienne (vidéos, DVD, cassettes, magazines) chez **Tip Top Video**.

Il y a celles qui suent sur leur vélo d'appartement ou font une fois par semaine le tour de la Serpentine à Hyde Park, la langue pendante, et il y a celles qui « bhangracisent », contraction de *bhangra*, danse traditionnelle indienne pratiquée par les stars de Bollywood, et de *exercise*, faire de la gym.

Ne croyez surtout pas que seules nos princesses indiennes en sont les adeptes discrètes. Oh que non, Bollywood et tous ses dérivés (danse, musique, mode, beauté) ont séduit des milliards d'êtres humains, du Maghreb à la Nouvelle-Zélande, de l'Afrique du Sud à l'Oural. Toutes nos princesses de l'Empire, même si elles ne comprennent pas la langue hindi, apprécient cette contre-culture hollywoodienne. Et la gym-danse *bhangra* les a toutes séduites.

Depuis que Rajinder et Leyla, deux voisines, l'une penjabi, l'autre syrienne, ont pris des cours à l'école de danse de Honey Kalaria, la diva du *bhangra*, elles en sont devenues les apôtres fidèles et prêchent la bonne parole partout autour d'elles. « Commence par acheter sa vidéo, *Bhangracise your way to a better body*. C'est une bonne introduction. »

Soit, direction les boutiques spécialisées de Wembley où l'on déniche ladite cassette pour 15 euros. Rentrée chez soi, on écarte les meubles, on enfile un jogging et on appuie sur play. Cela me rappelle les dimanches midi quand, âgée d'à peine sept ans, je sautais à perdre haleine devant Véronique et Davina.

Cinq parties, de l'échauffement au *cool down*. Quelques routines, des gestes, des trucs, entre pas de salsa et danse du ventre, à apprendre par cœur. Honey suggère de « bhangraciser » dix minutes par jour : « Suffisant, assure-t-elle, pour se faire un corps de rêve. » On aimerait la croire. En attendant, on sue à grosses gouttes et puis on s'assoit, hypnotisée. Honey est fascinante à regarder. Impossible de dire son âge. Elle a un corps de danseuse, comme sculpté dans la pierre. En 1997, elle a ouvert la première école de danse de

Bollywood en Grande-Bretagne. Ses meilleurs élèves, dit-on, sont régulièrement engagés par des producteurs de Bombay.

À regarder la vidéo de Honey, on se rend compte qu'elle a réussi à concocter un patchwork chorégraphique empruntant à différentes traditions : hip-hop, street danse, jazz, salsa, samba, penjabi, kathak. Le multiculturalisme de la sueur...

Shopping... voilé

Dans leur pays d'origine, en Arabie saoudite, une « police de la moralité », la *mutawa*, les surveille de près. Elles doivent ainsi prendre garde à ne pas frayer avec (ni même parler à) des hommes inconnus. Femmes et hommes vivent à part. Une nouvelle loi interdit d'ailleurs aux hommes de travailler dans les boutiques de lingerie et d'y servir les clientes, ce qui pose un sérieux problème dans un pays où il n'est pas bien vu que les femmes travaillent.

À Londres, pas de police des mœurs, juste les gorilles de papa, les porteurs de sacs philippins et les limousines à vitres fumées qui les suivent à la trace. Elles ont conservé cette tradition saoudienne selon laquelle les femmes ne sauraient conduire ou se déplacer non accompagnées ou sans chauffeur. À Londres, nos princesses, filles, épouses ou mères de princes du Golfe vivent en liberté (un peu moins) surveillée et le gousset grand ouvert.

Jabarti ne dira ni son âge, ni la profession de son père. Nous ne verrons d'elle que les yeux, noirs, les mains et le bout des pieds. Au son de sa voix, elle semble jeune, à peine trente ans, à ses mules à lanières en strass rouge signées Gina et à son sac en croco de la marque Anya Hindmarch, elle vient d'une famille riche, très riche. Jabarti se partage entre Londres et Jeddah, deuxième ville d'Arabie Saoudite, où elle est née. Dans sa famille (et, dans une certaine mesure, dans toute l'Arabie Saoudite), les femmes n'étudient ni ne travaillent, mais elles s'amusent. « Nous devons nous amuser entre nous et à la maison mais, franchement, nous rions comme des folles, parfois nous dansons jusqu'à l'aube. » Elles s'amusent et elles dépensent. « J'adore Londres et surtout le quartier de Knightsbridge. Nous y allons toujours à plusieurs et nous remplissons de nos achats l'une de nos deux limousines. Parfois, mon père fait appeler les boutiques en avance pour qu'elles n'accueillent que nous pendant une heure. Cela nous évite de nous retrouver avec des inconnus. Mon père préfère. Il trouve que Londres est une ville décadente mais il apprécie de pouvoir faire fermer une boutique en pleine journée juste pour les femmes de sa famille. Il aime le respect des Britanniques pour l'argent. »

Les rues favorites de Jabarti et de ses cousines, partenaires de shopping : Sloane Street, Pont Street et Beauchamp Place. Toutes les grandes marques occidentales s'y trouvent : Christian Dior, Chloé, Yves Saint Laurent, Tod's, Gucci, Giorgio Armani, Fendi, Chanel, Vuitton, Versace, Prada. « Je crois qu'il n'y a pas une boutique de Sloane Street que nous n'ayons pas dévalisée, sauf bien sûr celle de Liza Bruce. Ses maillots de bain et bikinis sont un peu trop échancrés à notre goût. »

Qu'entend-elle par « dévaliser » ? J'appelle l'une après l'autre les grandes marques de Knightsbridge. Une seule, une boutique italienne, accepte de répondre à mes questions, sous couvert du plus strict anonymat. « Il nous arrive, de façon exceptionnelle et pour de très bons clients, d'ouvrir le magasin exclusivement pour un groupe de clientes. Nous essayons de faire en sorte que cela se passe en dehors des heures d'ouverture, pour ne pas gêner les autres mais il nous est déjà arrivé de fermer pour une heure, en pleine journée, pour quelques clientes originaires du Moyen-Orient. Nous envoyons alors nos vendeurs masculins se dégourdir les jambes. » Qu'achètent ces princesses ? « De tout. Je n'ai jamais discerné chez elle un goût bien distinct, mais plutôt une boulimie d'achats. En fait, j'ai été étonnée de constater que sous leur abaya, elles portent tout et n'importe quoi, même des jeans. Du moment que cela ne se voit pas de l'extérieur. » Combien dépensent-elles ? « Je pense qu'elles ne le savent pas elles-mêmes. Ce sont les chauffeurs-gardes du corps qui règlent. En une heure, elles peuvent facilement dépenser £ 10 000 chacune (environ 15 000 euros). Elles adorent les accessoires, surtout les chaussures et les sacs. » Et pourvu que ça brille.

La face cachée du rêve londonien

Londres est une capitale composée de tribus aux coutumes, traditions, tics de langage, références culturelles et codes bien précis. Très difficile de s'en faire accepter si l'on n'y est pas apparenté d'une façon ou d'une autre. C'est le côté ghetto du multiculturalisme.

Nos princesses viennent de minorités parfois très soudées, de celles qui ont souvent du mal à s'acclimater aux mœurs occidentales. Sadia, 35 ans, est née à Wembley dans l'une de ces familles. Ses parents, des Sikhs, sont arrivés à Londres dans les années 1960. Ses petites sœurs sont âgées de 20, 27 et 32 ans. Voici douze ans, elle a accepté ce que l'on appelle un mariage arrangé, pratique très courante dans certaines communautés, notamment celles originaires du sud de l'Inde.

« À 17 ans, mes parents, lors d'un voyage chez une tante en Inde, m'ont demandé si je voulais épouser mon cousin. J'ai refusé, je m'estimais trop jeune. Ils n'ont pas insisté. À 23 ans, ils ont recommencé, plus insistants. J'ai cédé à la pression, mais en fait, je ne regrette rien. » Sadia fait partie de ces Britanniques qui ont accepté d'épouser un inconnu, par respect des traditions familiales.

Aujourd'hui, Sadia vit avec son mari, Rajan, et leurs deux enfants, Bharti et Priti, à Southall. « Je me considère comme une femme moderne, une Britannique et une Londonienne à part entière, avec un métier et une famille à gérer. Évidemment, j'ai eu de la chance. Mes parents ont très bien choisi. Rajan et moi sommes tombés amoureux dès notre première rencontre. Cela ne se passe pas toujours aussi bien, concède-t-elle, mais quand je vois mes amies anglaises qui sont toujours célibataires à 35 ans et qui alignent les aventures d'un soir ou d'une semaine, je me dis qu'elles auraient sans doute aimé avoir, comme moi, une famille qui s'occupe de leur trouver un mari. »

Soit, mais l'idée que d'autres décident de trouver Roméo à notre place glace légèrement les sangs. « Non, pourquoi ? réplique Sadia. Nos parents sont les mieux placés au monde pour savoir qui trouvera grâce à nos yeux et qui nous rendra heureuses. » Et la liberté de décider pour soi-même, qu'en fait-elle ? « Je n'y crois pas. C'est une valeur occidentale. À l'inconnu, je préfère la chaleur de gens que j'aime et que je connais. »

Aussi régressive qu'elle soit, l'opinion de Sadia n'est certainement pas marginale à Londres, notamment dans la communauté indo-pakistanaise. Et si, il est vrai, de nombreux mariages arrangés sont des mariages heureux, ils cachent souvent une réalité beaucoup plus sombre : celle des mariages forcés. Car d'arrangé à forcé, il n'y a qu'un pas que beaucoup de familles franchissent.

Le gouvernement britannique prépare depuis quelques années une loi faisant du mariage forcé un crime, et de ses instigateurs des criminels. En mars 2006, une campagne d'information avec les acteurs de *soaps* comme *The Kumars at n° 42* et *Eastenders*, Meera Syal et Ameet Chana, a visé à alerter les jeunes femmes issues de ces communautés de leurs droits. Officiellement, environ 300 cas de mariages forcés sont répertoriés chaque année par la police britannique. Selon les associations d'aide aux victimes, comme Struggle for Change (SACH), la réalité doit plutôt avoisiner les 3 000.

Le cas de Yasmin, relaté par le journaliste Declan Walsh, est éclairant à plus d'un titre. Née à Londres, âgée de 21 ans, la jeune femme en T-shirt et jeans croyait accompagner ses parents au mariage d'un cousin dans un village du Penjab. « Nous devions rester quelques semaines et puis soudain j'ai réalisé que nous étions là depuis près de deux mois. Je ne retrouvais plus mon passeport ni mon billet d'avion. Ma famille me présentait toutes les semaines des garçons de mon âge qui venaient avec leur famille. J'ai mis du temps à réaliser ce qui m'arrivait : ils préparaient mon mariage ! Je ne pouvais aller nulle part toute seule, ils ont voulu me confisquer mon portable alors je l'ai caché dans mon sac de serviettes hygiéniques. Ils ont fini par me marier avec cet inconnu, un pauvre garçon pour lequel j'avais plus de pitié que de haine. Le jour de mon mariage, je n'arrêtais pas de pleurer. J'ai refusé de partager la même chambre. Sa famille en voulait à la mienne. » Yasmin se résout à alerter son ex-petit ami resté en Grande-Bretagne et lui envoie un SMS d'appel au secours. Celui-ci avertit l'ambassade de Grande-Bretagne à Islamabad. Une *rescue operation* est mise en place avec un représentant consulaire et un garde du corps. Tout doit aller très vite pour prendre la famille par surprise. Le diplomate et le garde du corps se présentent chez la jeune femme un matin, à l'aube. Celle-ci, prévenue, a fait sa valise en cachette, et doit signer un document les autorisant à la conduire tout d'abord à l'ambassade puis dans un lieu sûr. La famille réagit souvent de façon menaçante ou même violente, d'où la présence d'un garde du corps armé.

De retour à Londres grâce à l'aide des services diplomatiques, ces jeunes femmes, isolées, subissent souvent la pression de leur famille. Quand elles ne sont tout simplement pas les victimes d'*honour killings,* drôle d'expression utilisée pour définir les dizaines de meurtres commis chaque année en Grande-Bretagne par des pères et frères à l'encontre de leurs filles et sœurs rebelles.

Zadie, Monica et Shazia : les idoles

Ce sont les *drôles de dames* du multiculturalisme britannique. Trois belles filles, trois grands talents, des personnalités fortes et originales. Nos princesses ont trouvé en elles leurs nouvelles idoles.

Meet Zadie. Son premier roman, *White Teeth*, écrit à l'âge de 25 ans, l'a catapultée au sommet de la littérature anglophone contemporaine. Zadie Smith, née en

1975 de mère jamaïcaine et de père anglais, n'est pas seulement un grand écrivain en herbe mais aussi une grande beauté, adepte des turbans colorés. Une Simone de Beauvoir des Caraïbes. Son fan de la première heure se nomme Salman Rushdie et derrière lui toute une armée anonyme de lecteurs subjugués. Décrite, à tort dit-elle, comme la championne d'une communauté d'enfants exilés, Zadie Smith rétorque qu'elle ne se sent absolument pas déchirée entre deux cultures. Elle est britannique, un point c'est tout.

Monica Ali, elle aussi enfant du métissage, est née à Dacca en 1967, de père bengali et de mère anglaise. Son premier roman, *Brick Lane*, lui a valu tous les honneurs et (encore lui) les louanges de Salman Rushdie. L'histoire de Nazneen, jeune fille du Bangladesh débarquée à Londres à l'âge de 17 ans pour épouser malgré elle un homme deux fois plus âgé qu'elle, poète et bon à rien, et qui finit par se prendre d'amour pour un jeune islamiste déboussolé, a déclenché dans la communauté bengalie de Grande-Bretagne une énorme polémique. La jeune auteur, mariée à un Anglais, a répondu avec courage à ses détracteurs menaçants. C'est au Portugal, loin de la tourmente londonienne, qu'elle a récemment achevé l'écriture de son deuxième roman très attendu.

Shazia Mirza, elle, a joué de son physique ingrat pour devenir la première comique voilée. Née à Birmingham, cette ancienne professeur de biochimie est montée pour la première fois sur scène à 25 ans, au grand dam de son père – comme beaucoup d'*Asian* britanniques, Shazia n'avait pas le droit de sortir et de fréquenter les garçons quand elle était jeune. Sa tournée triomphale, *Total Sell Out*, l'a portée des scènes de Berlin à celles de San Francisco en passant par Paris,

Copenhague, Stockholm, Édimbourg et New York. Puis elle a décidé de faire rire sans son voile. Toujours le même succès avec un *edge*, un penchant pour le politiquement incorrect. *Sample :* « J'étais donc à La Mecque et, soudain, je sens une main se poser sur mes fesses. Je me dis : "Shazia, ici, c'est un lieu sacré, ce ne peut être que la main de Dieu..." »

Tips

Zadie Smith (en VO ou en VF) : *White Teeth* (« Un sourire de loup »), *The Autograph Man* (« Le chasseur d'autographes »), *On Beauty*.

Monica Ali (en VO ou en VF) : *Brick Lane* (« Sept mères et treize rivières »), *Alenjento Blue*.

Shazia Mirza
www.shaziamirza.org

LA SPIRITUALITÉ HINDOUE...

Shri Swaminarayan Mandir
105-119 Brentfield Road
Neasden
London NW10
020 8965 2651
www.swaminarayan.org

BEAUTÉ BISMA : LA BEAUTÉ EST DANS LE DÉTAIL

Vaishaly Facialist Clinic
Demandez Vaishaly Patel, la spécialiste de l'épilation des sourcils : elle donnera un peu d'ordre à vos balais-brosses et illuminera votre regard.
51 Paddington Street
London W1
020 7224 6088

POUR DES MAINS ET DES PIEDS DE REINE

Bisma Shoes
Ladypool Road
Birmingham B1
012 1773 9456

Richard Ward
Le rajah de la beauté des mains et des pieds.
82 Duke of York Square
London SW3
020 7730 1222

HOT BABY

Brixton Market
Electric Avenue & Pope's Road
London SW9

Green Valley
36-37 Upper Berkeley Street
London W1H
020 7402 7385

Khan's
13-15 Westbourne Grove
London W2
020 7727 5420

Marché de Southall :
Volailles vivantes le mardi, chevaux (oui, oui) le mercredi, meubles le vendredi. Meilleur jour pour se croire à Delhi : le samedi. Vous pouvez aussi essayer le **marché de Brixton**, au sud de la Tamise, à proximité de Waterloo.
High Street Southall
Middlesex

Rita's Samosa Centre
112 The Broadway
London UB1
020 8571 2100

The Glassy Junction
97 South Road
London UB1
087 1984 3986

LES MEILLEURS RESTAURANTS CARIBÉENS, PERSANS ET LIBANAIS DE LONDRES
Je vous recommande particulièrement **Windies Cove** (caribéen), **Mango Room** (caribéen), **Nayeb One** (persan) et **Fairuz** (libanais).

Fairuz
27 Westbourne Grove
London W2
087 1075 3873

Geeta
59 Willesden Lane
London NW6
020 7624 1713

Green Valley
36-37 Upper Berkeley Street
London W1
020 7402 7385

Mango Room
10-12 Kentish Town Road
London NW1
087 1332 8486

Nayeb One
3 Hammersmith Road
London W14
087 1075 1182

Palm Beach
17 Ealing Road
Wembley Middlesex
020 8900 8664

Ranoush Juice Bar
43 Edgware Road
London W2
020 7723 5929

The Punjab Restaurant
80 Neal Street, London WC2
020 7836 9787

The Standard
23 Westbourne Grove
London W2
020 7229 0600

Windies Cove
135-137 Trafalgar Road
London SE10
087 1075 1173

BOLLYWOOD WORKOUT

Tip Top Video
4 Coronet Parade, Ealing Road
Wembley, Middlesex
020 8903 0605

SHOPPING... VOILÉ

Anya Hindmarch
Notre princesse a un faible pour leur sac en crocodile Bespoke Ebury à
10 000 euros.
15-17 Pont Street
London SW1
020 7838 9177
www.anyahindmarch.com

Emma Hope
Regalia for feet, autrement dit, le *nec plus ultra* des pieds. Compter environ 500 euros la paire de ballerines brodées « English rose ».
53 Sloane Street
London SW1
020 7259 9566
www.emmahope.co.uk

Gina
Créés en 1954 en hommage à l'actrice italienne Gina Lollobrigida par le
chausseur Mehmet Kurdash, les modèles de chez Gina sont aujourd'hui
dessinés par les trois fils de Mehmet. Madonna est une fan. Mules à
partir de 500 euros.
189 Sloane Street, London SW1
020 7235 2932
www.gina.com

Liza Bruce
9 Pont Street, London, SW1
0207 235 8423
www.lizabruce.com

Tanner Krolle

Spécialistes de beaux objets en cuir depuis 1856, la collection de sacs « money », imitant la forme des bourses des femmes au XVIIe siècle et confectionnés en cuir tendre d'agneau, remporte un franc succès auprès de nos princesses.

5 Sloane Street, London SW1
020 7823 1688
www.tannerkrolle.co.uk

adresses

8 La pintade grungy

Le questionnaire pintade

Sa coupe de cheveux préférée
Afro… pour cheveux raides et blonds.

Son animal de compagnie préféré
Le labrador.

Son expression favorite
Wicked!

Son juron, gros mot préféré
Bollocks!

Son Jules idéal
Orlando Bloom.

Son livre de chevet
On Beauty de Zadie Smith.

L'objet qu'elle emporterait sur une île déserte
Son iPod.

Son moyen de locomotion favori
The tube.

La personne connue qu'elle rêve d'avoir pour ami(e)
Helena Bonham Carter *(because she is wicked).*

La pintade grungy, bohème et créative

La *Grungy* est une Londonienne en mutation et en devenir. Pas encore mariée, pas encore installée, elle traîne un pied dans l'enfance et agite l'autre dans l'avenir. Mi-femme, mi-elfe, elle est joueuse et joyeuse, vive comme l'éclair. Loyale en amitié et infidèle en amour, elle vit pour ses potes et surtout pour elle-même. Elle a déjà arrêté le hasch pour se dévouer corps et âme à sa nouvelle lubie : la diète bio. En fait, c'est une individualiste à la croisée des chemins. Dans un an, on la verra dans la City entrepreneuse de choc en jupe noire et chemise blanche, ou bien meneuse de talk-show sur les ondes de la BBC. En tout cas, elle n'est pas née de la dernière pluie et sous ses allures d'ado attardée sommeille le génie marchand de l'Angleterre. *Beware!*

De la mode, elle a retenu qu'elle pouvait la recycler, la détruire, la recouper, bref, la façonner à son image (en français, on dit « customiser », c'est ça ?). Elle adore se déguiser, un soir en *goth* comme sa grande sœur qui lui a fait découvrir The Cure quand elle n'avait pas 3 ans, le lendemain en *ethnic* avec les soieries qu'elle vient de rapporter de son *back-packing tour* de l'Inde. Mais depuis qu'elle a découvert les jeunes stylistes de Spitalfields Market, elle ne jure plus que par eux : l'heure, elle y mettrait son iPod au feu, est à la reconstruction vestimentaire.

La beauté, ça l'intéresse, mais elle doit apprendre, car ces choses-là ne lui viennent pas naturellement. Naturelle, justement, c'est ce qu'elle aimerait paraître, mais en mieux. Or, elle vient de découvrir que la sophistication, c'est le *make-up no make-up*, le maquillage invisible. Elle en était restée aux ongles vernis noirs, aux lèvres dessinées à l'encre de Chine et aux paupières couleur charbon. Elle a encore du chemin à parcourir… Côté intérieur, pas assez riche pour faire son marché chez les designers, elle se meuble à Camden Lock, chez les brocanteurs du nord de Londres, son quartier fétiche.

Grungy, autrement dit un peu cracra, elle ne l'est pas toujours. Elle est aussi, tour à tour, *funky*, *barmy*, *batty*, *arty* et *busy*, un peu barje, un peu délurée, un peu pressée, les yeux dans les nuages et la tête pleine de projets. Elle ne vit plus chez ses parents depuis longtemps mais cohabite avec ses potes qui se renouvellent sans cesse, au gré des migrations étudiantes qui viennent repeupler Londres tous les étés comme le ressac qu'on voit danser le long de la Tamise.

Ce qu'elle aime, c'est se balader dans les quartiers nord de la capitale, Highbury et Islington, Camden, et s'encanailler dans l'East End à Spitalfields, Shoreditch, Stoke Newington, Hackney, les derniers quartiers popu et *up and coming* de Londres où elle pioche pêle-mêle idées, dernières recettes bio et secrets de vie. Politiquement, elle serait plutôt Lib Dem pour faire enrager ses parents. En fait, c'est pour elle qu'elle roule. Et elle ira loin.

Let's have fun, baby !

To have fun et *to play* (s'amuser et jouer) sont les deux notions à maîtriser absolument pour comprendre la Grande-Bretagne et Londres en particulier. Les insulaires, hommes et femmes, adorent jouer : devinettes, charades, bingo, paris, dominos, Scrabble, fléchettes, bowling, Trivial Pursuit, bridge, backgammon, échecs, dames, poker, jeux vidéo, billard, baby-foot, travestissement, j'en passe et des meilleures. Ce n'est pas un passe-temps, c'est une raison d'être.

Autant oublier nos réflexes de dîners entre amis à la française où l'on rit et l'on refait le monde jusqu'à l'aube. Les Britanniques, eux, entre deux pintes ou deux verres, aiment passer la soirée puis la nuit à jouer et il ne s'agit pas forcément des jeux de l'amour et du hasard.

Alors que je commençais peu à peu à me faire des amis et invitais chaque semaine *my new buddies* à des dîners gastronomiques pour 12 qui me prenaient deux jours de préparation intensive, Fifi, une fille d'Islington en T-shirt de footballeur sur minijupe en jeans effilée, me dit : « C'est un peu sérieux tes dîners. Ici, on fait beaucoup de *fancy dress parties*, tu devrais essayer, c'est très drôle. » *Fancy dress party ?* Hum, voulait-elle parler d'une soirée costumée ? « Tu veux dire aller louer un costume de marquise chez Berners, le loueur de costumes pour le cinéma ? », lui demandai-je timidement. « Mais non, tu n'y es pas du tout ! » Ouf, mon dernier « bal costumé » remonte à mon goûter d'anniversaire, je devais avoir environ 7 ans. Elle glousse : « Un bal costumé, et pourquoi pas à Buckingham Palace ! Ah, ce que vous êtes sérieux vous autres Parisiens. Il faut toujours que vous envisagiez le *nec plus ultra*. Non, commence par une soirée à thème! »

« *I'll have a red party!* » Une soirée rouge. Cool. J'envoie vingt cartons d'invitation et enveloppes rouge sang. Fifi s'écrie : « Nourriture et alcool rouges, on est d'accord? » Évidemment. Vin rouge, chili con carne, tomates farcies, salade de poivrons rouges, tarte aux fraises. Et puis des tulipes rouges dans le seul vase rouge trouvé dans le *junk shop* du coin.

Le jour J, Fifi arrive en avance, tout excitée, les mains chargées de sacs : « J'ai eu une idée géniale, j'ai acheté dix kilos de Smarties, on ne va garder que les rouges et les mettre dans des bols. » L'affaire devient psychédélique. Vingt minutes et un bol de Smarties rouges plus tard, Ben arrive. Cet étudiant en philosophie, spécialiste de Kant, arrive en jogging et boa rouges. « J'ai emprunté le boa de ma mère et le jogging Adidas de ma sœur. Bien, l'effet, non? » Ils n'ont vraiment peur de rien : « Tu as pris le *tube* habillé comme ça ou tu t'es changé dans les escaliers? » « Oh non, je suis allé à la fac comme ça. » Ah. Pas le temps de repenser ma relation à ce jeune homme que je trouvais fort charmant, Tina sonne à l'Interphone. Je descends lui ouvrir. Cette jolie rousse un peu potelée est drapée dans une énorme étole rouge, elle a l'air d'une statue antique. « Non, ce n'est pas une étole, c'est ma housse de couette! C'est le seul truc rouge que j'ai trouvé chez moi. » Elle est complètement nue en dessous. Je nage dans *Chapeau melon et bottes de cuir*. Le pinot noir d'Australie coule à flots, le chili con carne remporte un franc succès, les Smarties aussi.

Cette *red party* a changé ma vie. Fini les dîners. J'ai compris. Cela dit, il n'y a pas que les *fancy dress parties* dans la vie de mes amis londoniens, il y a le jeu, ou plutôt les jeux, à pratiquer seul ou en groupe, aux pubs, clubs et cafés du quartier.

Fifi est une folle de baby-foot, ou plutôt de *table football*, qu'elle pratique assidûment au Cafe Sport d'Exmouth Market. Tina, elle, participe aux compétitions de fléchettes au pub à côté de chez ses parents dans le Hampshire et s'entraîne une fois par semaine au Royal Oak dans le nord-ouest de Londres. Chaque année, Patrick est solennellement chargé par son boss de préparer un quiz pour les 70 employés de sa boîte lors d'une après-midi *corporate* (l'équipe gagnante remporte un chèque de 10 000 livres). Nous autres Français aimons peut-être nous prendre au sérieux, les Londoniens, eux, sont de sérieux joueurs.

Je n'ai pas joué au baby-foot depuis l'âge de 8 ans, alors va pour une petite régression en compagnie de Fifi. Cafe Sport à Exmouth Market est connu dans tout l'est de Londres pour son beau baby-foot vintage des années 1950. L'endroit est décoré de tables, d'un bar, de chaises et d'un portemanteau chinés dans les *flea markets* – les puces – de Londres avec un fort côté rétro et une affection particulière pour les couleurs jaune et rouge. Fifi s'empare des manettes. La petite balle blanche jetée en l'air retombe dans le camp adverse. Fifi fait des tourniquets foudroyants avec ses poignets, on a peur pour elle. Elle plisse le front, fronce les sourcils, gonfle les narines, se mord les lèvres. Ses yeux ne sont plus qu'un radar permanent qui suit la course folle de la balle. Contrairement à son adversaire, Fifi ne crie pas, ni ne vocifère des « *Fuck!* » toutes les trente secondes. *We're impressed.*

Elle arrive même à faire la conversation : « J'organise une soirée samedi, il faut que je trouve des trucs rigolos à faire à mes invités. » Cela faisait longtemps. Je l'interroge sur sa passion effrénée pour les jeux. « Tu trouves ça bizarre ? Je n'y avais pas pensé. Tous mes amis sont comme ça. Nous adorons nous travestir, nous faire des blagues, inventer de nouveaux jeux de société. Ma grand-mère est une folle de bingo. Elle va tous les mardis au *bingo hall* de Kilburn High Road. C'est même là qu'elle a rencontré son mari il y a deux ans. C'est un peu comme des clubs de rencontre où veuves ou célibataires se sentent à l'aise et en sécurité. Mon oncle, lui, est un pro du quiz, il va jouer tous les mardis soirs au Sir Richard Steele, un pub à quiz de Belsize Park. Mon père, c'est les fléchettes. Ma tante Jean, elle est accro aux machines à sous. Là, c'est plus dangereux. »

À Londres où les casinos ne sont pas aussi réglementés qu'en France, la passion du jeu, le *gambling*, peut carrément déraper. Un numéro vert national a été créé pour écouter ces malades de la roulette et du bandit-manchot. Ils se rencontrent parfois aux *Gamblers Anonymous*, Joueurs anonymes, à l'instar de l'AAA, l'Association des alcooliques anonymes. Ils sont apparemment 500 000 à répondre à la définition du drogué du jeu selon la *British Amusement Catering Trade Association*.

On doit aussi parler des marteaux du loto. Ils sont 30 millions à cocher leur grille au moins une fois par mois. Pourtant introduite très récemment, en 1994, la loterie anglaise s'est hissée en une dizaine d'années au deuxième rang (sur 192 !) des loteries nationales les plus populaires dans le monde. Cette frénésie ludique est en fait une très bonne affaire pour le gouvernement de Sa Majesté. Chaque jour, les Britanniques jouent (et perdent) plus de 40 millions d'euros.

« C'est notre opium à nous, résume Fifi, arc-boutée sur la table de baby-foot, les doigts crispés sur les manettes. Ah, j'ai trouvé pour samedi. Comme j'ai trois pièces dans mon appart, je vais faire trois lieux à thème. Dans mon bureau, ce sera l'*argument room*. Je vais écrire des sujets de dispute sur des petits papiers, les invités n'auront qu'à choisir au hasard celui sur lequel commencer une dispute. Dans ma chambre, une compétition d'échecs, et, dans le salon, hum, t'as une idée pour le thème de jeu du salon ? » « *Blind date* ? » « Oui, génial, un colin-maillard de célibataires ! »

La beauté, ça s'apprend

Nous l'avons déjà dit, la beauté ne vient pas naturellement aux Londoniennes et encore moins aux Anglaises. Lynn Barber, journaliste de choc de *The Observer* et *The Guardian*, plusieurs fois nommée « Meilleur interviewer de l'année » par les Oscars du journalisme britannique, est une Londonienne typiquement *grungy*, sauf qu'elle a quitté l'adolescence il y a très longtemps.

Au mois d'avril 2006, le nouveau supplément féminin de *The Observer* lui propose une journée beauté aux frais du canard. Tout a commencé quand sa rédactrice en chef lui a dit au détour d'une conversation devant la machine à café : « Oh, ça fait 6 ans que je ne me suis pas lavé les cheveux moi-même. » Et Lynn de rétorquer : « *Yuck, yuck,* c'est dégueulasse, tu dois avoir des poux. » Et Nicola, ladite rédac chef, de patiemment lui expliquer que si si, ses cheveux sont lavés, simplement pas par elle, mais par la shampouineuse chez le coiffeur, trois fois par semaine.

La première réaction de Lynn relève de la perplexité, voire de l'incompréhension. « Je dois passer deux heures par semaine à me faire belle, maximum. Et quand je dis belle, je veux dire que je me lave les cheveux tous les jours très rapidement, je pense à me mettre de la crème hydratante un jour sur sept et utilise du rouge à lèvres tous les 36 du mois. Je m'offre en revanche une pédicure tous les deux mois mais c'est parce que mes ongles sont si durs que je ne peux pas les couper moi-même. Quant au maquillage, je n'en mets plus depuis dix ans, je suis trop myope pour ça. » Pas brillant, en effet. Et Lynn de continuer sur le même ton : « J'aimerais vraiment apprendre ce qu'on appelle le maquillage. À chaque fois que je regarde les rayons beauté des duty-free dans les aéroports, je suis comme une poule devant un couteau : je ne comprends pas à quoi servent tous ces trucs. »

Défi relevé. Lynn Barber raconte, dans une chronique hilarante de *The Observer*, son *close encounter* avec la beauté. Sa rédactrice en chef « booke » Lynn chez

Jemma Kidd, professeur de maquillage et directrice d'une école portant son nom. Il faut dire que le monde de Jemma Kidd évoque tout de suite une certaine idée de la beauté et d'un certain milieu. Avant d'être prof de maquillage pour filles riches *without a clue*, miss Kidd est avant tout une « célébrité » londonienne. Sœur aînée de Jodie Kidd, *supermodel*, et épouse du comte de Mornington, fils aîné du marquis de Douro, lui-même fils aîné du duc de Wellington. Vous voyez où je veux en venir. Donc, Jemma la maquilleuse est une future duchesse de Wellington avec château dans le Hampshire et demeure toute princière sur Hyde Park Corner à la clef. À Londres, il est toujours bon de savoir à qui on a affaire, même dans le maquillage.

Avec des manières de comtesse, Jemma explique à Lynn qu'il faut mettre du maquillage pour « avoir l'air naturel ». « Ah bon ? Mais naturelle, n'est-ce pas être sans maquillage ? », répond Lynn. « Non, c'est seulement avoir l'air naturel, mais en mieux. » « Ah ! », soupire Lynn qui ne comprend décidément rien à l'art du camouflage. Leçon numéro 1 : « Tout d'abord, appliquer du fond de teint par petites touches, avec une éponge, ne surtout pas étaler. » Leçon numéro 2 : « Redessiner les sourcils, les épiler, les rendre plus intenses avec un coup de crayon. » Leçon numéro 3 ? Hé bien, selon Lynn, il n'y en a pas, mais après une heure, elle semble très heureuse du résultat : « Je ne dirais pas que c'était le plus beau jour de ma vie, mais je suis très contente de ce que je vois dans le miroir. » Sûr que dès le lendemain, Lynn était redevenue « naturelle », vraiment naturelle.

Junky Styling

Côté mode, en revanche, notre Londonienne *grungy* peut parfois être *funky* et même parfois carrément *cutting edge*. Comprenez, à la pointe. Elle a le flair pour dégoter la dernière tendance, le styliste qui va faire parler de lui dans cinq ans et qui vend ses premiers modèles, parfois même ses prototypes sortis tout droit de sa collection à la *Fashion week*, pour une misère.

Elle est comme ça. En mode, elle aime transgresser, façon Vivienne Westwood, John Galliano et Alexander McQueen. Évidemment, parfois, elle tombe carrément à côté de la plaque. Vous voyez le genre : ces Londoniennes qui mélangent allègrement les styles et se plantent magistralement. Parfois, cependant, son audace *cutting edge* nous en met plein la vue. Elle ose quand nous restons frileuses. Car, elle, se contrefiche d'être jugée, tandis que nous, ma foi, le regard désapprobateur des autres, la peur du faux pas nous terrifient, avouons-le.

Victoria, une petite vingtaine alerte, habillée vintage 1970 des pieds à la tête, pantalon violet en velours à pattes d'eph et chemise orange signée Balenciaga, parle à voix basse. Elle dit avoir fait une découverte « de la mort », autrement dit *to die for*. « Junky Styling, tu connais ? » Non, on a beau fouiller notre mémoire vive, inconnu au bataillon. Un air de triomphe dans le regard, Victoria continue à chuchoter : « *You know what ?* Leur adresse n'est même pas dans le *A to Z* [le guide des rues de Londres]. » Ah, ça !

Leur dernière collection s'intitule *Don't waste it* en référence à leur mantra *eco friendly*. Junky Styling est l'enfant de deux copines, Annika Sanders et Kerry Seager, qui ont appliqué à la fin des années 1990 leur concept de recyclage, déconstruction et reconstruction au tailleur britannique sorti des échoppes ultra-traditionnelles de Jermyn Street : *pinstripe suit* pour les hommes et tailleur strict pour les femmes. Junky Styling se régale de robes du soir en patchwork de tissus pied-de-poule et de vestes de redingotes réinterprétées. « C'est tout à fait nous, ça, essayer à tout prix de transgresser ce formalisme qui nous étouffe », commente Victoria. Oui, et nous autres Françaises, c'est le classicisme et la conviction d'être les meilleures en tout, qui parfois (seulement parfois, bien sûr) nous paralysent.

« En plus de leur collection qu'elles vendent entre £ 50 et £ 1 000 selon la pièce, elles ont inventé un concept génial, c'est la *wardrobe surgery*, la chirurgie vestimentaire. Tu leur apportes un vieux costume ou un tailleur démodé, elles te le mettent en pièces, le déchirent, le découpent et le réassemblent. Cela donne des modèles uniques, à la pointe de la customisation. C'est tellement *cutting edge* qu'Anna Wintour de Vogue n'est même pas au courant ! » Victoria s'en étrangle presque d'excitation. L'originalité et l'individualisme forcené, on retrouve bien là notre Londonienne *grungy*. Le diable qui s'habille en Prada peut aller se rhabiller.

Fan de Fresh & Wild...

Elle s'est nourrie de *junk food* et de barres chocolatées Cadbury toute son adolescence, pour se révolter contre le lancinant « *Eat your vegs, love* » asséné tous les soirs par sa mère. Aujourd'hui, pas encore assagie, toujours dans l'extrême, elle ne mange que bio, enfin, *organic*. Elle s'y est mise pour ses 18 ans, le jour de l'ouverture du premier Fresh & Wild à Notting Hill. *Fresh and wild*, jeune et sauvage, elle s'est tout de suite reconnue dans cette double épithète. La Londonienne n'embrasse les nouvelles tendances que si elles se présentent sous un slogan *punchy* et sexy. Sinon, aucune chance de réussir. Il n'est pas plus *trend victim* que la Londonienne et, du coup, *trendsetter*.

Tips

Mis à part **Fresh & Wild**, racheté par l'américain Whole Foods, citons **Planet Organic,** dans Westbourne Grove, ainsi que plusieurs marchés bio :

• Le *farmers' market* **de Marylebone** : plus de 40 stands de produits fermiers.

• **Deux** *farmers' markets* **à Wimbledon**, dans la banlieue sud-ouest de Londres.

N'oublions pas que les créateurs londoniens restent aujourd'hui les rois de la pub. Londres, capitale mondiale des calembours et des bons mots, de ceux qui servent à faire vendre des millions ou à élire les jeunes Premiers ministres au sourire d'acier. En 1979, deux génies publicitaires, les frères Saatchi, tâtent de la politique pour les services de la jeune Margaret Thatcher. Ils lancent sa campagne avec une affiche montrant une longue file de chômeurs devant un bureau de l'ANPE.

Au-dessus, trois mots assassins : « *Labour isn't working.* »
La victoire de la future Dame de Fer semble assurée.

Fresh & Wild a donc tout de suite fait mouche auprès des Londoniennes et de notre *Grungy Girl*, jeune plante en mutation. Alors que ses concitoyens prennent dix centimètres de tour de taille par an – à coups de *fish and chips*, de *plum puddings* (la recette originale requiert de la graisse de rognons) et autres réjouissances culinaires britanniques –, elle reste mince, l'œil brillant et la joue rose. C'est notamment grâce au bar à jus de Fresh & Wild, à ses *zinger* (orange, gingembre, carotte) à £ 3,95 le petit verre à emporter, et à ses pâtes au *buck-wheat*, qu'elle mange assaisonnées d'huile de sésame.

Mais elle a récemment eu quelques frayeurs quand le caissier de Fresh & Wild à Soho lui a dit : « Vous n'avez pas le teint très clair ce matin, vous êtes sûre que vous n'êtes pas *dairy allergic*[1] ? » À moins qu'elle ne soit allergique au *wheat* (blé) ou au gluten ? Bigre, c'est grave, docteur ? Depuis cette réflexion assassine, elle ne mange plus que *dairy free, gluten free, wheat free*. Elle est également très *sugar conscious*, et prône le *low sodium* en toute occasion.

En France, on préfère exercer sa raison critique. Faire attention : pas trop de sucre, pas trop de sel, pas trop de produits laitiers, des féculents mais en quantité raisonnable. Allez, elle est encore jeune, elle va comprendre qu'elle est un peu une *fashion* doublée d'une *organic victim*!

---

1. Allergique aux produits laitiers.

She is totally batty !

La *Grungy Girl* est parfois un peu *batty*, comprenez foldingue. Cela doit être sa jeunesse ou sa *Britishness*… Elle mélange allégrement passion des animaux avec rites *gothic* et cela donne, attention, une prédilection chaque début d'été pour la promenade et la chasse aux chauves-souris, les fameuses *bats*. Équipée d'un détecteur à ultrasons rendant audibles les petits cris de ces mammifères ailés, elle part avec ses copains dans le fin fond de l'East End et se présente à 20 h 30 pétantes aux portes du cimetière de Tower Hamlets. Là, d'autres amoureux de *bats* attendent religieusement qu'un spécialiste de la chose leur ouvre les portes et leur apprenne tout ce qu'ils ne savaient pas déjà sur la *bat*. « J'adore les chauves-souris, elles sont mignonnes. J'aime communiquer avec elles. Tu sais qu'elles mangent jusqu'à 3 000 mouches par jour ? » On ne savait pas, non. Pour tout dire, on s'en fiche un peu. Pour aller voir ses copines, Fifi s'habille toujours en noir : maquillage noir, ongles noirs, grand manteau en cuir noir rasant le sol. « Pour l'occasion, je fais un gâteau en forme de *bat* au Nutella que l'on mange dans le cimetière. » C'est *bath*, non ?

L'art d'en rire

Pour la *Grungy*, l'art est une installation permanente. Comprenez-la, les musées, c'est bon pour les touristes,

El Greco, bon pour les Espagnols, euh, non, les Crétois, elle ne sait plus. Ce qu'elle aime, c'est l'art *funky*, l'art qui l'amuse ou la choque. *Oh! so british!* Réfléchir, c'est *boring* et bon pour les Français qui voient des abstractions partout. Elle a développé un amour fou pour l'art contemporain qui s'installe et accroche l'œil. Et puis, une galerie d'art qui se respecte doit avoir un bar du soir et un café de jour, sans oublier une boutique. C'est du moins ce qu'elle pense.

The ICA et Whitechapel Gallery, remplissant toutes ces conditions draconiennes, sont devenus ses lieux *arty* de prédilection. Est-ce l'art ou la proximité avec Brick Lane et St. James' Park qui l'attire? Allez savoir. Pour elle, l'art est un peu une excuse, un vernis, un *gimmick* presque. « L'art est une expérience globale. L'art est dans tout mais tout n'est pas de l'art », répète Val, une copine *grungy*, avec conviction. Silence. Elle se reprend : « Non, pardon, tout ça c'est du *bullshit*. Pour dire la vérité, si ces lieux n'étaient pas aussi des lieux de rencontre, je ne suis pas sûre que j'irais aussi souvent. » C'est bien ce que l'on pensait. Au moins, elle a l'honnêteté de l'admettre. « Le principal pour moi c'est que l'expérience soit *fun* et *relax*. » Ah, Val, toujours aussi joueuse!

Elle apprend l'éco à Greenwich Market

Comme beaucoup de choses en Grande-Bretagne, ça commence par une blague puis ça devient sérieux. Au début, la *Grungy Girl* s'est dit qu'elle louerait bien un stand au marché de Greenwich le week-end pour vendre les bijoux fantaisie qu'elle a appris à faire en Inde. Histoire de se faire un peu d'argent de poche et de financer ses virées surf en Cornouailles. Vous l'aurez compris, la fillette n'a pas les deux pieds dans le même sabot. Des idées, elle en regorge pour se faire un peu de *pocket money.* Elle a vendu des journaux à la criée quand elle avait 15 ans, travaillé tous les étés de son adolescence chez l'épicier du coin à faire des livraisons, joué les serveuses de pub à Leeds pendant ses études, et j'en passe. Elle a d'ailleurs payé ses études elle-même, emprunté un peu à ses parents et beaucoup à la banque. La débrouille, elle connaît car, comme de nombreuses Londoniennes, eh bien, elle n'a pas le choix : pas beaucoup de bourses d'État ou autres subventions publiques. Dans la vie, *she's had to fend for herself,* et elle continue.

Au pays des boutiquiers, comme disait Napoléon, rien de plus naturel que d'apprendre les ficelles du Marché sur un marché. En Grande-Bretagne, une bonne idée peut mener loin. « Tu connais le milliardaire Wayne Hemingway ? C'est le fondateur de la marque Red or Dead. Il a commencé avec un étal aux puces de Camden Lock et a construit son empire de mode petit à petit », témoigne Chaz. Cette petite pintade de 23 ans, « en année sabbatique », a décidé de faire la même chose, enfin, de louer un stand dans un premier temps. Pour les milliards, elle verra plus tard. « Je me suis renseignée. En fait, ce n'est pas cher du tout : £10 par jour pour un stand en semaine, £35 le samedi et £53 le dimanche. À Brighton, qui n'est qu'à 80 minutes en train, la location d'un stand au célèbre Open Market est de l'ordre de £25 par semaine! »

Chaz a un plan. Elle va d'abord louer un stand le week-end puis faire ses comptes. Elle veut se servir de son premier mois de marchande pour faire un peu de *customer research*, comme en marketing. « C'est simple, je fais deux sortes de bijoux fantaisie : des colliers pour les filles entre 8 et 12 ans et des boucles d'oreilles pour leurs mères. Je me dis que les filles veulent souvent la même chose que leur mère. Enfin, c'est mon hypothèse de départ. » En France, on se moquerait de ses bijoux baba cool. L'économie, c'est sérieux. La macro et la micro, ça doit d'abord s'apprendre sur les bancs de la fac. En Grande-Bretagne, on l'apprend à 5 heures du matin dans le brouillard, ça s'appelle *learning economics, the hard way.*

Un mois plus tard, Chaz me montre ses résultats, qu'elle a informatisés et mis en graphique dans une présentation Power Point. Quelle pro, cette Chaz! Ils sont surprenants. « C'est dingue, en fait, mes boucles d'oreilles pour femmes ne se vendent pratiquement pas, mais en revanche, les colliers pour fillettes partent comme des petits pains. Tu vois la courbe, là, en l'espace de quatre week-ends, je me suis mise à produire 85 % de colliers contre 15 % de boucles d'oreilles alors que j'avais commencé par 50-50. » Chaz, chaussures à plate-forme en bois et coiffure afro, a scrupuleusement noté la récurrence des visites de certaines acheteuses.

« C'est toujours un bon signe quand les acheteurs reviennent à ton stand, non ? »

Chaz a également profité des moments creux pour parler à ses collègues. « On apprend beaucoup. » Oui, en français, on parle de *networking* que l'on érige en philosophie. « Il y a des acheteurs de grands magasins comme Selfridges qui viennent tous les week-ends pour dénicher les nouvelles tendances et souvent pour offrir à l'un des designers d'être distribué par eux. Là, c'est le jackpot. Parce que si ça marche, tu peux ouvrir ton propre magasin sur Carnaby Street. » En Grande-Bretagne, cela s'appelle le *talent scouting*.

« Mais j'avais vu juste, les bijoux et les vêtements pour bébé sont les deux marchandises qui se vendent le plus. Ne me demande pas pourquoi, c'est comme ça. » Pourtant, la vie de marché est loin d'être rose. L'expérience peut s'avérer exténuante : « J'ai eu de la chance et j'ai bien vendu, environ £300 par jour de marché, mais j'ai des collègues qui ne gagnent pas plus de £10 de l'heure. Et puis c'est éprouvant, lever à 6 heures, arrivée à 7 heures, préparation de l'étal, être toujours de bonne humeur pendant dix heures d'affilée, sans aucun break si ça marche. Faut avoir la santé. »

En seulement quatre semaines, notre *Grungy Girl* en a appris plus sur la loi de l'offre et de la demande et le marketing que l'étudiant moyen en un an à la fac de Dauphine ou de Clermont-Ferrand. Difficile de ne pas admirer l'esprit d'entreprise de ces jeunes Londoniennes qui n'ont pas froid aux yeux. Prochaine étape pour Chaz : « Maintenant il me faut un site Internet pour faire de la vente par correspondance. Les vendeurs qui réussissent en ont tous un. Je fais ça un an et puis après je fais le point. » Ce genre d'expérience, les employeurs britanniques adorent. En France, ils vous demandent pourquoi vous avez perdu votre temps…

LET'S HAVE FUN, BABY !

BABY-FOOT

Bar Kick

Vous pouvez y boire de la bière portugaise et vous mesurer aux habitués du quartier dont certains sont membres de la Kick Association, attention, de vrais pros du baby-foot. Jeudi soir, compétitions entre pros. Rassurez-vous, il existe aussi des *beginners sessions* !

    127 Shoreditch High Street
    London E1
    020 7739 8700

Cafe Sport

Décor fifties rouge et jaune. *Caffe latte* servis dans des verres comme à Lisbonne, carte de vins espagnols, soupe de lentilles quand il fait bien froid dehors. Ambiance relax.

    43 Exmouth Market
    London EC1
    020 7837 8077

South London Pacific

    340 Kennington Road
    London SE11
    020 7820 9189

PUB QUIZ (SORTE DE TRIVIAL PURSUIT À THÈME)

The Plough

    354 Hornsey Road, London N19
    020 7263 6278

FLÉCHETTES

The County Arms

    420 Hale End Road, London E4
    020 8527 2103

The Royal Oak
95 High Street, London NW10
020 8965 0228

ÉCHECS, DAMES, BACKGAMMON, DOMINOS, SCRABBLE

The Westbourne
Gastropub autant connu pour ses jeux que pour ses top models de passage à Notting Hill qui apprécient la situation un peu excentrée de ce pub où l'on mange très bien.
101 Westbourne Park Villas
London W2
020 7221 1332

BOWLING

Bloomsbury Bowling Lanes
Sous-sol du Tavistock Hotel
Bedford Way Russell Square
London WC1
020 7691 2610

BILLARD

Owl and the Pussycat
34 Redchurch Street, London E2
020 7613 3628

The Glasshouse Stores
55 Brewer Street, London W1
020 7287 5278

LA BEAUTÉ, ÇA S'APPREND

Jemma Kid Make-Up School
Royalty studios Unit 4
105-109 Lancaster Road
London W11
087 0428 9037
www.jemmakidd.com

JUNKY STYLING

Les trois adresses de Victoria se trouvent non loin de Spitalfields Market.

Junky Styling

Le *nec plus ultra* de la customisation et l'avant-garde du recyclage chic. Les vestes croisées très haut de Gwen Stefani, c'est ici que cela a commencé... Allez voir à quoi ça ressemble sur www.junkystyling.co.uk.

The Old Truman Brewery
12 Dray Walk, London E1
020 7247 1883

Son of a Stag

T-shirts et vestes pour hommes, vendus uniquement ici et à Milan.

The Old Truman Brewery
9 Dray Walk, London E1
078 9994 4444

The Laden Showroom

Jeunes stylistes favoris des célébrités britanniques du genre Victoria Beckham...

103 Brick Lane, London E1
020 7247 2431
www.laden.co.uk

FAN DE FRESH & WILD

Fresh & Wild

67-75 Brewer Street, London W1
020 7434 3179
www.freshandwild.com
Boutiques à Battersea, Camden, Clerkenwell, Notting Hill et Stoke Newington.

Marylebone Farmers Market

Cramer Street Car Park
(sur le parking derrière Waitrose)
London W1U
020 7704 9659

Peckham Farmers Market

Peckham High Street, London SE15
020 7704 9659

Planet organic

42 Westbourne Grove, London W2
020 7221 7171
www.planetorganic.com
Boutiques à Fulham et Bloomsbury.

Wimbledon Farmers Market

Wimbledon Park First School
London SW19
020 7704 9659

SHE IS TOTALLY BATTY !

Guided Bat Walk

Rendez-vous fin juin au cimetière de Tower Hamlets pour y observer
certaines des 17 espèces de chauves-souris britanniques. Durée de l'ex-
pédition : 90 minutes.

Tower Hamlets Cemetery Park
Southern Grove, London E3
079 0418 6981
www.nationaltrust.org.uk

L'ART D'EN RIRE

ICA (Institute of Contemporary Arts)

The Mall, London SW1
020 7930 3647
www.ica.org.uk

Whitechapel Gallery

80-82 Whitechapel High Street
London E1
020 7522 7888
www.whitechapel.org

ELLE APPREND L'ÉCO...

Greenwich Market
Greenwich High Street
London SE10
020 8293 3110
www.greenwichmarket.net

9 Sexy Chick

Le questionnaire pintade

Sa coupe de cheveux préférée (ou plutôt rêvée)
À la Beckham.

Son animal de compagnie préféré
Le lézard qu'elle a tatoué sur la fesse gauche.

Son expression favorite
F**k!

Son juron, gros mot préféré
Twat!

Son Jules ou sa Julie idéal(e)
Rupert Everett et Fiona Shaw.

Son livre de chevet
Oranges Are Not the Only Fruit de Jeanette
Winterson.

L'objet qu'elle emporterait sur une île déserte
Une pinte de Guinness bien mousseuse.

Son moyen de locomotion favori
Ses jambes et son vélo.

La personne connue qu'elle rêve d'avoir pour ami(e)
Madonna.

Sexy Chick, volontaire et téméraire

On l'a baptisée *Sexy Chick*, comprenez poulette sexy. Cela dit, elle ne remplit pas vraiment nos critères de *sexy* à la française : gamine délurée et coquine mais finalement toujours convenable, ou plutôt, toujours élégante même dans la position du missionnaire. Non, notre *Sexy Chick* pourrait s'appeler *Sex Pot* car pour elle, le sexe se mange cru, direct, sans *appetizer*, sans parlotte, sans battement de cils. Ou alors, le strict minimum. Elle est comme ça, franche, sans détour. Vous lui plaisez, ou non. Elle est d'ailleurs large d'esprit et consomme l'amour au masculin comme au féminin. Une vraie démocrate du plaisir. Elle le prend d'où qu'il vienne. D'ailleurs, parlez-lui plutôt de plaisir. Pour l'amour, repassez dans dix ans. Elle ne fait pas l'amour, elle baise, autrement dit, *she fucks*. Quand elle boit, c'est pour se saouler, quand elle drague c'est pour marquer, comme au foot, quand elle s'habille, c'est pour s'affirmer, pas pour se cacher. Il n'y a que les fleurs, les animaux et les plantes qui la laissent rêveuse. C'est son côté (le seul) fleur bleue et Anglaise invétérée.

Chez elle, *sexy* rime avec *coarse*, *crass*, *loud*, *brash*, et toutes sortes de débauches, *binge drinking*, *binge shopping*, *binge fucking* et on en passe. Elle collectionne les *sex toys*, se passe des hommes ou les use comme des kleenex, mais ses copines et ses copains *straight*, homos ou trans, sont sacrés. Ils se parlent de tout, et surtout de sexe, de façon graphique. Esprits sensibles s'abstenir. La famille, ce n'est pas son truc, elle préfère vivre seule ou avec ses *mates*. Look camionneuse, dure comme le Teflon, elle peut aussi devenir sensuelle, véritable *sex kitten*, mais méfiez-vous, c'est pour mieux vous manger, mon enfant.

Pour se décrire, elle dirait : « *I work hard, party hard, fuck hard.* » En français, cela donne : « Je travaille dur, je fais la fête jusqu'à l'aube et je baise à fond. » On ajouterait volontiers qu'elle fait du sport avec passion et consomme toute sorte de drogues naturelles et chimiques pour se motiver.

Elle aime participer à la vie de sa communauté, homo, lesbienne, transsexuelle, bisexuelle, *you name it.* Militante pour différentes associations de défense des droits des gays et des libertés civiles comme ils disent ici, elle ne manque pas un débat public sur la question gay, une soirée gay, le festival du film gay et lesbien au mois d'avril, la sortie du dernier livre de Jeanette Winterson ou la dernière pièce avec Fiona Shaw, célébrités gays. Elle s'est même débrouillée pour dégoter un billet pour la finale de Wimbledon et voir Amélie Mauresmo remporter le grand chelem. Notre *Sexy Chick* est une fidèle.

Physiquement, c'est un caméléon, mais toujours *fit*, plaquettes de chocolat et fesses d'acier pour mieux coincer ses amants d'un soir. Elle s'habille ultraféminin, sans soutien-gorge ni culotte, ou bien en *GI Girl*, treillis militaire bien moulant des surplus de l'armée. Une Lara Croft multisexuelle. Bref, une terreur.

Les quartiers où elle a élu domicile, Soho et Hoxton, lui ressemblent : urbains, bruts, durs, *in your face* mais débordants d'humanité dans leurs allées sombres et leurs recoins.

I like your body

La *Sexy Chick* aime se rincer l'œil gratis. Enfin, pas tout à fait gratuitement mais pour la modique somme de £3,55. En toute discrétion, en toute légalité bien sûr. Elle aime particulièrement Oasis Sports Centre à Covent Garden, avec ses deux piscines fonctionnant 365 jours par an. Se rincer l'œil et draguer à la piscine, jusque-là, rien de révolutionnaire me direz-vous. Nous avons toutes connu les libidineux de notre piscine de quartier ou les mateurs de la piscine des Halles à Paris. Oui, mais là, c'est elle qui attaque, bille en tête. Filles et garçons, elle ne fait souvent pas le tri dans ses affections. Tous ont droit à la même répartie : « *What a beautiful body you have, love.* »

> **Tips**
>
> Londres est un désert pour les amatrices de natation. Songez seulement qu'il existe à Paris plus de piscines olympiques que dans toute la Grande-Bretagne. L'investissement dans les infrastructures publiques a sacrément souffert durant les années Thatcher. Espérons qu'avec l'organisation des jeux Olympiques de 2012, les Londoniens vont rattraper leur retard.

Gael, *Sexy Chick* par excellence, *swings both ways*, en clair, elle est bisexuelle. Pour elle, Oasis Centre est idéal car rempli d'étrangers et d'étrangères qui ne connaissent pas forcément les autres adresses de gym et les piscines de la capitale. Or Gael adore *the continental type*, comme elle dit. Autrement dit, Européens et Européennes du Continent : Français, Allemands, Espagnols, Italiens, Portugais. Bref, Gael est vraiment éclectique dans ses attirances. « J'y vais pour nager bien entendu, mais je nage en dilettante, j'y vais surtout pour me relaxer et y faire des rencontres, y reluquer de jolis corps, et, si j'ai de la chance, ressortir avec la demoiselle ou le damoiseau de mon choix. » Est-ce aussi facile ? « *I often score, actually!* », dit-elle fière d'elle. « Je marque souvent un but. » Ah. La métaphore sportive en matière amoureuse, rien d'étonnant : pour les Britanniques, la vie est un sport.

« Ce que je préfère c'est draguer l'hiver dans la piscine découverte et chauffée, car avec le choc thermique, il y a toujours comme un nuage de vapeur qui couvre tout le bassin. C'est magique, vraiment poétique et cette atmosphère touche tout le monde. En un sens, cela facilite mon approche. Vraiment, je recommande », confie-t-elle, très technique.

Pour les *Sexy Chicks* qui aiment les filles, les *changing rooms* permettent de continuer l'assaut entrepris dans le bassin. Les vestiaires des piscines sont rarement équipés de douches ou de cabines individuelles pour se laver et se changer à l'abri des regards indiscrets. Il est aussi traditionnel de se doucher nue et d'arpenter les vestiaires en long, en large et en travers, en tenue d'Ève. Encore leur côté viking ? C'est à peine si les Londoniennes utilisent leur serviette : pour se sécher à la rigueur, jamais pour se cacher des regards indiscrets. Vous qui la croyiez pudibonde, révisez vos classiques. Attachée aux traditions et soucieuse du qu'en-dira-t-on, elle peut l'être, mais quand elle a décidé d'être vamp, plus rien ne l'arrête et certainement pas les convenances victoriennes.

Soyez donc prévenue, si vous fréquentez assidûment les piscines de Londres, ne vous étonnez pas d'être observée et complimentée par une *Sexy Chick*. Essayez de ne pas rougir à ses « *I love your body* » (véridique), et selon vos inclinations, répondez : « *Thanks* » et tournez la tête comme fin de non-recevoir, ou bien lancez-vous avec un « *And I like yours* » qui, dit avec l'accent français, devrait la faire chavirer.

Son orgasme, elle se l'achète

Elle n'a pas attendu Adam pour croquer dans la pomme, c'est à peine si elle en a besoin d'ailleurs de son homme (ou de sa femme). À l'instar de sa consœur *DIY* des quartiers nord de Londres, la *Sexy Chick* prend son plaisir en main. Et c'est le pied garanti à tous les coups.

Phénomène de société ayant précédé de plus de 25 ans (!) l'ouverture à Paris de la boutique coquine de Sonia Rykiel (en la matière, les Anglaises ont carrément une longueur d'avance), on ne s'étonne pas à Londres de voir des boutiques de *sex toys* pour femmes. Pas des sex-shops à proprement parler, enfin, pas des sex-shops tels que nous les connaissons en France : salaces pour hommes louches. Non, des boutiques érotiques pour filles aventureuses. Nuance.

Ce qui explique peut-être que, lorsqu'elles parlent sexe, les Londoniennes n'y vont pas par quatre chemins. C'est plutôt technique et *coarse*. À déconseiller aux esprits sensibles. Ou alors, elles n'en parlent pas, motus et bouche cousue. Encore une fois, nous nageons dans l'extrême, outrance ou répression. Notre *Sexy Chick*, elle, fait partie de celles qui n'ont pas froid aux yeux, ni ailleurs. Donc, son orgasme, elle va l'acheter au super-marché de l'érotisme féminin. Et elle a le choix.

Selon l'auteur Jonathan Franzen dans son best-seller *How to Be Alone,* « l'orgasme est désormais un achat de consommation courante et le langage qui l'accompagne une réclame publicitaire ».

Une enquête sur le terrain s'impose. Accompagnons la belle Libby, grande rouquine à la peau laiteuse et roller-skateuse de choc, dans ses pérégrinations érotiques. Je la suis à vélo. Direction Coco de Mer (tout ce qui est coquin en Grande-Bretagne doit porter un nom français). En face de l'hôtel très tendance Covent Garden et à côté du minuscule et légendaire café-tor-réfacteur Monmouth Coffee, Coco est le *brain-child* de Sam Roddick… fille de la fondatrice de la chaîne Body Shop. L'idée est simple : le sexe est une question de style et d'argent.

La vitrine de Coco de Mer, attirante, expose sur-tout de la lingerie, afin de ne pas effaroucher les hési-tantes. Dès le seuil du magasin, l'ambiance est au boudoir. Chaque accessoire se met en scène comme au théâtre. De belles vitrines exposent des godemichés en verre de Murano, de véritables œuvres d'art, des consoles victoriennes en bois précieux présentent des menottes pour mains et chevilles reliées entre elles par une chaînette, des petites tables invitent l'acheteuse à feuilleter de beaux livres aux photos artistiques et pornographiques pour hétérosexuelles et lesbiennes. Sur un divan en velours rouge, des coussins de satin roses et rouges en forme de lèvres sont présentés avec des petits fouets en cuir. Près de la caisse, des boîtes de thé Mariage Frères (eh oui) jouxtent des pots de chocolat-peinture-pour-le-corps-à-lécher.

Libby n'a pas d'idée bien définie. Elle vient s'acheter son cadeau d'anniversaire mais elle ne sait pas encore quoi. Libby est ce qu'on appellerait en France une femme libre, doublée d'une libertine. Pas d'attaches particulières mais une série d'amants et d'amantes britanniques et internationales. « C'est un peu difficile à gérer quand j'en ai soudain trois ou quatre au même moment à Londres. Ils savent en général que je mène une vie libre mais pas tous, d'où la difficulté », explique-t-elle en considérant avec attention un petit fouet. « Ça, je n'en ai pas encore. » Et des godemichés, elle en a ? « Oui, j'en ai trois mais pas aussi beaux que ceux qu'on vend ici. Hélas, c'est trop cher pour moi [£450]. J'ai eu des *Rampant Rabbits* par le passé, achetés chez Ann Summers. Mais aujourd'hui, je préfère mettre un peu plus d'argent et pouvoir les exposer sur une étagère comme de beaux livres ou de beaux objets. » Cela n'effraie pas ses visiteurs ? « Non, cela attire les gens qui me plaisent déjà et font fuir ceux qui ne m'auraient pas plu de toute façon. C'est parfait, en fait. Cela pose tout de suite qui vous êtes. Je ne triche pas. » Oui, c'est sûr. On essaiera à notre prochain dîner : un godemiché tendance à côté de la bouteille de saint-émilion.

Libby regarde chaque produit attentivement, le touche, le tourne dans ses mains, le tâte, réfléchit puis se décide. « Ces menottes me plaisent beaucoup. J'adore le fait qu'elles sont pour mains *et* chevilles et puis avec le satin rose tout autour, cela ne me fera pas

mal et ne laissera pas de trace. J'ai une amante brési-
lienne qui arrive dans quelques jours. Je suis sûre que
cela lui plaira. »

Coût de l'opération « Attache-moi-j'aime ça » : £110
(soit environ 150 euros). Nous, on repart avec du thé
Mariage Frères Earl Grey à £7,95 (10 euros) la boîte.
Quoi ! Vous ne connaissez pas le pouvoir aphrodisiaque
d'une tasse de thé bien fumante ?!

Elle binge drink…

Notre *Sexy Girl* boit souvent à en perdre la raison. Ça
s'appelle le *binge drinking* et ces beuveries ont lieu en
général les vendredis et samedis soir. Elles débouchent
souvent sur le *binge fuck*. Il faut la comprendre, des
soûlards, elle en a toujours été entourée. Prenez la
famille royale, confite dans le gin, à l'instar de la reine
mère que sa consommation quotidienne, dit-on, d'un
litre de ce breuvage a conservé jusqu'à l'âge vénérable
de 102 ans. Margaret Thatcher, elle, s'est consolée de
son départ forcé de la scène politique avec du bourbon.
À chacune sa pitanche.

Notre *Sexy Girl*, elle, se « détend » (c'est ce qu'elle
dit) à la bière, au vin, un chardonnay bien fort et bien
frais, au gin and tonic, au mojito, au champagne, enfin,
vraiment, à tout. Car, au bout de quelques heures, elle
s'en fiche bien de savoir ce qu'elle boit. « Je bois pour

me saouler, pas par plaisir du palais! » Quelle question idiote, on aurait dû savoir qu'elle allait nous rire au nez avec nos interrogations toutes françaises de plaisir des sens et de dégustation.

Pink Ladies Cabs

Pour être sûre de rentrer chez soi saine et sauve, et pas à quatre pattes, penser aux taxis pour femmes conduits par des femmes qui ne vous font pas poireauter sur le trottoir et qui attendent que vous soyez bien rentrée chez vous pour démarrer. Ce sont les Pink Ladies. Pas besoin de transporter de cash avec vous, vous payez par relevé mensuel. 10 % de leurs profits sont reversés à la lutte contre le cancer du sein.

Justement, je l'invite un soir dans une épicerie française de Londres pour une dégustation de vins d'Alsace (six vins à déguster). Ma *Sexy Girl* se nomme Betsy. Cette brune aux cheveux courts travaille dans la mode et porte sa petite trentaine avec panache. Dans une robe portefeuille signée Diane von Furstenberg, il est clair qu'elle ne porte ni soutien-gorge, ni culotte. Alors que les Françaises présentes savourent le premier riesling du bout des lèvres, Betsy demande qu'on lui resserve un deuxième verre, « à ras bord ». Je lui explique qu'il y a encore cinq vins à goûter. Elle opine du chef, ne comprenant apparemment pas l'allusion. Une heure plus tard, Betsy a bu huit verres pleins de vin blanc, alors que je n'en ai vidé qu'un (autrement dit, six minuscules gorgées de chacun des six vins d'Alsace). Je me sens bien, mais déjà la joue rose et l'œil brillant, et je préfèrerais mourir plutôt que d'être vue chancelante. Betsy, elle, tient sur ses jambes comme un cheval d'arçon. Seule sa langue semble légèrement pâteuse, son discours parfois un peu *slurred*. Avec huit verres dans le gosier en l'espace de soixante minutes, moi, je serais déjà aux urgences. Quand je lui dis, Betsy semble fière : « *Yeah, I can hold it well.* » Autrement dit, elle a appris à bien tenir l'alcool. Rien de très glorieux à cela. « En Grande-Bretagne, les filles sont amenées à se mesurer constamment aux hommes. Nous n'avons pas de culture de la galanterie comme en France. Pour nous, le beau sexe n'existe pas. Ici, la parité commence au pub ! »

Huit verres de vin en une heure, c'est ça le *binge drinking*. Une consommation massive et rapide d'alcool. Selon les statistiques du ministère de l'Intérieur, 70 % des urgences à l'hôpital le week-end sont dues au *binge drinking*. Cette manie coûte au pays plus de 20 milliards de livres par an (29 milliards d'euros), notamment en dégradation de matériel et en baisse de la productivité au travail (17 millions de journées chômées à cause des gueules de bois[1]).

Binge drinking : définition scientifique

Selon la définition du gouvernement, cette activité implique de boire « au minimum une bouteille de vin en l'espace de quelques heures » ou de « dépasser la consommation régulière de 21 unités d'alcool, soit 21 verres de vin ou spiritueux, par semaine ». En Grande-Bretagne, 40 % d'hommes et 25 % de femmes entrent en titubant dans cette catégorie. En France, seulement 9 % des hommes et 5 % des femmes tiennent la comparaison.

Quand on le lui dit, Betsy hausse les épaules. Après moi, le déluge. « Je bois depuis près de vingt ans. À l'adolescence, dès l'âge de 13 ans, nous passons nos week-ends entre copines à boire et à parler garçons. C'est notre culture. Sans doute pas très admirable, mais cela

---

1. Une étude de la Prime Minister's Strategy Unite (septembre 2003).

crée des liens et puis, personnellement, j'en ai vraiment besoin pour me détendre. Mon métier est stressant. » Est-elle une de ces *lager loutette* ou *ladette* que l'on voit marcher à quatre pattes sur les quais de métro et vomir dans le caniveau le vendredi soir ? « Non, je suis une *ladette* sophistiquée ! Je prévois toujours que quelqu'un me reconduise et je vomis chez moi. C'est une question d'organisation. »

Boit-elle avec ses amies ou ses collègues ? « Les deux. Cependant, je fais un peu plus attention quand je suis en compagnie de collègues. En revanche, il est traditionnel de se lâcher complètement lors de la *Christmas party* organisée chaque année fin décembre par les sociétés, petites ou grandes. Là, on a le droit de se torcher et de coucher avec son patron dans les toilettes. Le lendemain, on en rigole. »

... et elle binge fuck

Notre *Sexy Chick* boit et baise. *She drinks and fucks.* Aussi souvent que possible. Oui, je sais, ça ne fait pas très chic. Ça fait même carrément *crass*. Mais c'est comme cela qu'elle s'exprime, alors… En fait, la *Sexy Chick* est nouvellement libérée. Cela fait à peine dix ans qu'elle s'affirme sexuellement, sans fard, sans honte, sans fausse pudeur. La pornographie, par exemple, n'est plus, pour elle, un monde défendu. Au contraire.

Jusqu'au milieu des années 1990, la pornographie était largement méprisée des Londoniennes, les *massage parlours* et sex-shops de Soho considérés comme autant de repères d'hommes vicieux, lecteurs de tabloïds (soit la moitié de la population britannique). Et puis, et puis, une décision de justice en 2000 révéla tout à coup un changement étonnant des mentalités anglaises jusque-là bien corsetées. Le BBFC, le bureau de classification des films (comprenez monsieur le censeur), autorisa pour la première fois de son histoire la vente de pornographie hard core en vidéo. Eh oui, jusqu'en 2000, il était interdit d'importer, vendre et acheter des cassettes porno sous peine de prison ferme.

La même année, le même censeur en chef du cinéma, Robin Duval, laissait passer *uncut* des films comme *Romance* de Catherine Breillat ou encore *Intimacy* de Patrice Chéreau. Un miracle au pays de la reine Victoria. Une loi de 1936, jusque-là scrupuleusement respectée, interdit toute prise de vue d'un pénis en érection sur grand écran. Un mois plus tard, Channel 4 diffusait à une heure de grande écoute une série intitulée *Pornography – A Secret History of Civilization*.

Dans les galeries d'art contemporain des quartiers *posh* de Mayfair et *trendy* de Hoxton, les jeunes rebelles de l'art contemporain britannique, les fameux *Young British Artists,* donnent à voir leurs dernières créations fortement inspirées de pornographie. Les frères Chapman exposent leurs mannequins d'enfants aux visages affublés de *genitalia* et le groupe Massive Attack annonce écrire la bande originale d'un film… hard core.

Notre *Sexy Girl* libérée aligne les *one night stands* et, quand elle est seule, se livre à des plaisirs particuliers puisque, comme une Londonienne sur deux, elle est l'heureuse propriétaire d'un *vibrator*[1].

Pour elle, la boisson et la baise ont un lien direct. « Le nombre de fois où je me suis retrouvée des samedis ou dimanches matin dans le lit d'un ou d'une inconnu(e) après une soirée trop arrosée, confie Libby, sans aucune honte. Cela m'arrive depuis l'âge de 15 ans. C'est drôle, on en parle ensuite avec les copines et l'on compare. Je revois rarement ces amants d'une nuit. Cela ne m'intéresse pas. De toute façon, je ne me rappelle même pas si c'était bien ou pas ! » Typique : du sexe, elle doit rire. Les comédies romantiques britanniques que l'on voit débarquer tous les ans sur nos écrans ont toutes une scène d'anthologie montrant ce rapport aviné au sexe. Boire pour ne pas faire face aux sentiments désordonnés qui nous animent, au désir qui monte et qu'on a du mal à canaliser. Le côté tragique et, à la longue, pathétique de la pratique du *binge drinking / fucking* échappe totalement à notre interlocutrice. Elle évacue le malaise existentiel par une plaisanterie : « *Relax, it's nothing serious, it's just fun ! A little silly, perhaps, but hey !* » Et les MST ou les *unwanted pregnancies* ? « Oui, ça, c'est un problème car la plupart du temps, je suis trop bourrée pour penser au préservatif, enfin, quand je suis avec un mec. Mais, *so far*, j'ai eu de la chance. » On a du mal à comprendre cette insouciance dangereuse. « Nous sommes assez inhibées. En fait, sans quelques verres, j'ai du mal à me détendre. » Entre quelques verres et le coma éthylique, il y a une différence, non ? « Je ne suis pas toujours ivre morte, non, mais quand même assez cuite. Les mecs en profitent mais eux aussi

---

1. C'est Ann Summers, la doyenne des sex-entrepreneuses anglaises, qui l'affirme.

sont bourrés, de toute façon. Je suis sûre que la plupart du temps, nous ne faisons rien ! », rit-elle encore.

Et de la phase de séduction, avant l'ivresse et la baise, Libby s'en rappelle-t-elle ? « Tu plaisantes ! La séduction c'est bon pour vous les Continentaux. Les Anglais ne sont pas romantiques. On se rencontre au pub ou au restaurant, on rigole, on boit, puis on va dans un bar ou en boîte, on danse un peu en se collant, on boit et hop, on *snog* et on *fuck*. Parfois, on vomit entre les deux. Et puis bye bye. » Au moins, cela a le mérite d'être clair.

Tips

Si vous voulez vous adonner au *binge fuck*, libre à vous, mais faites attention : la recrudescence des MST en Grande-Bretagne atteint depuis une quinzaine d'années des pics inégalés en Europe occidentale. Protégez-vous !

En cas de doute, vous pouvez aller à la Marleborough clinic du Royal Free Hospital à South Hampstead : on vous y reçoit en 24 heures et l'on vous y propose un *screening* (dépistage) complet gratuit. Un tuyau en or à Londres.

Essex Girl

On la voit arriver de loin. Ou plutôt, on l'entend. Des rires gras et stridents, des gros mots à chaque coin de phrase, « *twat* », « *shit* », « *retard* », et bien sûr, ce qui remplace la ponctuation chez elle, « *fuck* ». Un niveau sonore digne de la criée sur un marché provençal et un accent du sud de l'Angleterre, *working class* sur les bords. Et puis, au détour d'une rue, on tombe dessus. L'*Essex Girl*, c'est comme le raisin, ça vit en grappes. Imaginez donc une grappe de filles originaires de l'Essex. Vous avez le son, maintenant on vous donne l'image : à moitié nues dans leur ultra minijupe, leur T-shirt sans manches arrivant au-dessus du nombril. Heureusement que des santiags leur couvrent une partie des jambes, autobronzées même quand il fait − 10 °C. Elles ont le cheveu bien décoloré, vieille paille jaunie, et le maquillage « glossissime ». Leur visage brille de partout, à croire qu'elles ont mis la tête dans le pot de vaseline avant de sortir. Hormis les bottes, elles achètent tous leurs vêtements deux tailles trop petits. Elles sont comme ça, leurs bourrelets, elles aiment les montrer, elles croient que c'est sexy.

À leur image, elles aiment tout ce qui brille. L'or et le toc aussi. Les grosses voitures, rouges de préférence, et de marque Porsche c'est mieux, mais elles se contenteront d'une Ford Fiesta ou d'une Renault Fuego. Elles sont secrétaires et leur plan de carrière, c'est d'épouser leur patron. Quand elles prennent d'assaut la capitale les vendredis et samedis soir, les videurs des bars et clubs de Soho demandent du renfort pour affronter ces terreurs. En cas de raffût, elles peuvent toujours utiliser leur petit sac doré à franges comme arme de destruction massive. L'*Essex Girl* ne se laisse pas faire. *Beware!*

Comme disait Édith Cresson...

« Être gay à Londres, c'est un style de vie, une raison d'être. On vit gay, on respire gay, on lit gay, on regarde gay, on parle gay. Mais la communauté ne vit plus exclusivement entre *happy few* comme dans les années 1980 et 1990. Nous avons tendance à nous ouvrir un peu aux autres et notamment au monde hétérosexuel. Cela dit, nous avons tellement milité pour la reconnaissance et la défense de nos droits, nous nous sommes tellement battus contre les hétéros homophobes que certains d'entre nous cultivent toujours une hétérophobie caractérisée. C'est plus fort que nous. »

Notre guide gay, Rachael, se revendique *dyke*, *butch*, une vraie fille de Soho. Des jupes, elle en porte trois fois par an pour rendre visite à sa grand-mère dans le Lancashire. Malgré tout, les fripes, elle adore. Ce qu'elle aime, c'est le style victorien. En fait, Rachael est une dandy, à la Oscar Wilde. Elle aime les costumes trois-pièces croisés, les fleurs à la boutonnière, les bottines à petits boutons qui se lacent haut. Et les corsets. Elle en a toute une collection. Des fouets, aussi.

Il existe d'ailleurs un courant *sapphic victoriana* en Grande-Bretagne, rendu notamment populaire par l'écrivain Sarah Waters dont les romans *Tipping the Velvet* et *Fingersmith* ont fait l'objet d'adaptations somptueuses par la BBC. « J'adore son univers où les lesbiennes de l'époque doivent se cacher, et vivre leurs désirs et amours cachées. L'interdit, on aime toujours ça. Bientôt, quand les gays auront les même droits que les hétéros, j'en connais beaucoup qui regretteront le temps où nous étions des parias. L'excitation de l'illégalité ! Un comble, non ? » On reconnaît bien là notre Anglaise, militante forcenée et amoureuse torturée.

Les 12 hits de la littérature lesbienne et homosexuelle

- *Tales of the City* d'Armistead Maupin
- *Tipping the Velvet* de Sarah Waters
- *Oranges Are Not the Only Fruit* de Jeanette Winterson
- *Trumpet* de Jackie Kay
- *Calendar Girl* de Stella Duffy
- *The Long Firm* de Jake Arnott
- *At Swim, Two Boys* de Jamie O'Neill
- *The Line of Beauty* d'Alan Hollinghurst
- *Rubyfruit Jungle* de Rita Mae Brown
- *Desert of the Heart* de Jane Rule
- *Rough Music* de Patrick Gale
- *Crocodile Soup* de Julia Darling

Côté cinéma, Rachael fréquente assidûment le Gay & Lesbian London Film Festival qui a lieu chaque année au mois d'avril. Ne trouve-t-elle pas cependant un peu étrange de ghettoïser l'art en différentes catégories selon, par exemple, l'inclinaison sexuelle de son auteur ? « Non, les histoires d'hétéros ne m'intéressent pas. Ce que je veux voir, ce sont des films d'artistes dont je partage le destin. Au moins, là, je sais ce que je vais trouver. »

La télévision britannique n'est pas en reste. Récemment, Julie Burchill, figure iconoclaste des médias britanniques, lesbienne devenue bi, a écrit une série pour Channel 4, *Sugar Rush*. L'histoire de deux adolescentes découvrant leur homosexualité. Sa diffusion tardive (et ses multiples rediffusions) fait un tabac.

Au théâtre, Rachael ne manque aucune production de Deborah Warner, grand metteur en scène gay, et assiste à tous les spectacles dans lesquels joue Fiona Shaw, célèbre actrice lesbienne. En musique, elle vient de découvrir la première rappeuse lesbienne, Mz Fontaine, en français dans le texte. En 2002, cette jeune femme de 24 ans remportait le titre de miss Butch au concours national de beauté lesbienne. Aujourd'hui, elle produit, enregistre et mixe tous ses albums, seule.

Oh, et quand elle sort, Rachael va au Candy Bar se rincer l'œil de *lesbian pole dancing*...

Lesbian pole dancing

Bi ou gay, notre *Sexy Chick* aime voir les filles se déshabiller, *for her eyes only*. Vous avez bien entendu, un strip de filles pour filles, exclusivement. Cela s'appelle le *lesbian pole dancing* et cela se passe, évidemment, au cœur de Soho.

Le Candy Bar fut le premier bar pour filles à oser. Depuis, c'est devenu la religion du samedi soir. Il ne s'agit pas de n'importe quel strip, d'ailleurs, puisqu'il s'opère autour d'un pylône en acier bien astiqué à la vodka (véridique). Les filles se déshabillent tout en dansant autour de cette, disons, verge géante et luisante.

Le *pole dancing*, vous en aviez entendu parler, bien sûr, et vous trouviez dégoûtant tous ces hommes lubriques assis autour de ces tables où de pauvres filles se dandinent en espérant quelques pourboires. Pourtant, quand vous y réfléchissez bien, le *pole dancing* spécial fille vous laisse aussi songeuse. Et vous n'êtes pas la seule. Le magazine des lesbiennes britanniques, *Diva*, se demande dans son numéro de juin 2006 si notre sexy lesbienne n'est pas en passe de devenir la nouvelle figure macho de la société britannique. La journaliste Louise Carolin pose la question : « *Are the lesbians the new chauvinist pigs?* » Parce que payer des filles de 18 ans pour se déshabiller et se trémousser autour d'un poteau, que ce soit fait par des femmes ou des hommes, cela revient à peu près à la même chose, non ?

Jo, jolie blonde qui fréquente régulièrement le Candy Bar, m'assure que non : « Pour moi, ces filles sont des artistes, des danseuses et c'est ainsi que je les regarde. Quand je glisse un billet dans leur string, c'est pour leur exprimer mon admiration. » *Yeah, right.*

Rachael, *über* lesbienne de 42 ans qui n'a jamais embrassé un homme (elle en est très fière), semble plus directe : « Certaines de ces filles ont un vrai talent de gymnaste et de danseuse, cela va de soi, et nos clubs lesbiens sont bien moins *seedy* que les clubs de strip pour mecs. Par ailleurs, ces filles ne sont pas exploitées financièrement comme dans les autres clubs où il est pratique courante de les taxer £200 par soir. En revanche, du côté du public, guère de différence. Nous autres spectatrices et clientes y allons pour la même raison que les hommes : l'excitation que cela nous procure. Ne nous voilons pas la face. » On vous avait prévenue : notre *Sexy Chick* n'est pas une tendre. Pas une hypocrite, non plus.

I LIKE YOUR BODY

Voici les trois piscines les plus agréables du centre de Londres, propices aux rencontres en tout genre.

Oasis Sports Centre

Centre de sport et de gym complet. Deux piscines, une de 30 mètres couverte, une de 25 mètres chauffée et découverte toute l'année.

32 Endell Street, London WC2
020 7831 1804

Porchester Centre

Non loin de Notting Hill Gate, ce club de gym est doté d'une jolie piscine années 1880, ainsi que de bains turcs, d'un sauna et d'un spa.

Queensway, London W2
020 7792 2919

Seymour Leisure Centre

En plein cœur de Marylebone, club de gym pourvu entre autres d'une esthéticienne kiné maison et d'un court de squash. Belle piscine années 1930, toute neuve et toute propre, un exploit à Londres.

Seymour Place, London W1
020 7723 8019

SON ORGASME, ELLE SE L'ACHÈTE

Ann Summers

Vaut le détour par curiosité.

Unit SU14 Deck Level
Victoria Place Shopping Centre
115 Buckingham Palace Road
London SW1
087 0053 4094

Coco de Mer

L'adresse la plus sophistiquée de Londres où l'on n'a pas peur de mettre les pieds et d'être dévisagée.

23 Monmouth Street
London WC2
020 7836 8882

Myla

Tiens, tiens, deux designers mâles, Tom Dixon et Marc Newson, ont créé la lingerie et les *sex toys* exposés et vendus dans cette boutique de Notting Hill…

77 Lonsdale Street, London W11
020 7221 9222

Sh !

Tendance plus hard et nettement lesbienne, cette boutique près de Hoxton Square ne fait pas dans la dentelle. Un côté baroudeuse et *DIY*. Pour la *Scout Girl* du sexe.

57 Hoxton Square, London N1
020 7613 5458
www.sh-womenstore.com

ELLE BINGE DRINK

Gay and Lesbian London Film Festival

Tous les mois d'avril depuis 20 ans !
www.llgff.org.uk

Pink Ladies Cabs

0845 450 PINK
www.pinkladiesmembers.co.uk

Site de blagues aux dépens des Essex girls

www.btinternet.com/~homepage/essex1.htm

LESBIAN POLE DANCING

Candy Bar

Le premier club lesbien de la capitale britannique à avoir ouvert ses portes en 1996.

Mardi, jeudi et samedi soir : *lesbian pole dancing: strictly no touching* !
Vous êtes avertie : on peut regarder, mais on ne touche pas les demoi-
selles !

4 Carlisle Street
London W1
020 7494 4041
www.thecandybar.co.uk

10 *Mummy* !

Le questionnaire pintade

Sa coupe de cheveux préférée
Au bol (pour ses enfants).

Son animal de compagnie préféré
Winnie the Pooh.

Son expression favorite
Tidy up, darling.

Son juron, gros mot préféré
Mummy is very angry!

Son Jules idéal
Son fils.

Son livre de chevet
The Treasure Island de Robert Louis Stevenson.

L'objet qu'elle emporterait sur une île déserte
Un amant pour se souvenir de ce que c'était.

Son moyen de locomotion favori
Le landau Silver Cross.

La personne connue qu'elle rêve d'avoir pour ami(e)
Mary Poppins.

Mummy !
pleine de ressources et endurante

La *Mummy* londonienne est une dure à cuire, une *tough cookie*. Elle a compris que la maternité, c'était du sérieux, surtout le jour où elle a dû quitter son studio d'étudiante, son nid d'amoureux au cœur de Londres pour émigrer, comme toutes les familles, vers des pâturages plus *children friendly*, mais aussi carrément excentrés. Au revoir le bus à impériale, bonjour le petit train de banlieue.

Dès sa grossesse, elle a su que l'expérience ne serait pas *a piece of cake*, une partie de plaisir. Assurée par le système de santé public du strict minimum, elle a appris à se prendre en charge dès les premières nausées. Enfanter ne se fait ni dans la soie, ni dans l'allégresse. À moins d'être riche, très riche.

Bizarrement, pour certaines gamines de 13-14 ans en difficulté, la perspective de la maternité peut représenter une voie de sortie, et même une carrière en soi, grâce aux allocations spéciales *Teenage Mums*. Ces allocations, censées lutter contre le fléau anglais des grossesses adolescentes, auraient généré, selon certains, un cercle vicieux en créant la figure très controversée de la *Welfare Mum*, souvent une *Teenage Mum* doublée d'une *Single Mum*.

Notre *Mummy*, elle, ni *welfare*, ni *teenage* ni forcément *single*, a souvent mis sa carrière de côté pour s'occuper de ses enfants jusqu'à leur entrée à l'école à l'âge de 4 ans… ou bien engagé une *nanny* à domicile. À Londres, les solutions intermédiaires, on ne connaît guère. Mais il y a quand même des avantages (si, si) à vivre dans cette *metropolis* quand on est *Mummy*. Heureusement pour elle, parcs et jardins anglais fournissent à sa marmaille un théâtre de verdure permanent et un ballon d'oxygène bienvenu, si rares dans les autres capitales occidentales.

Elle suit désormais la mode féminine de loin et enfantine de très près, se battant bec et ongles aux soldes de Mothercare et de Topshop pour obtenir ce cardigan Winnie the Pooh à moins 50 %. *Mummy* peut-être, mais elle n'a pas perdu ses réflexes de lionne du shopping et de Calamity Jane de la carte de crédit.

Sur les hauteurs de Crouch End ou sur les sentiers de Wimbledon, elle guette à la bibliothèque du quartier les dernières sorties de *children's books* dont l'Angleterre a le secret et se souvient que JK Rowling, que certains disent plus riche que la reine Elizabeth II grâce à son lucratif petit dernier, Harry Potter, fut un jour une *(Welfare & Single) Mum* attentionnée et pleine d'idées.

Les quartiers où elle a élu domicile, de Richmond à Lewisham et de Croydon à Crouch End, lui ressemblent : apaisés, chaleureux, tranquilles, mais au cœur bouillonnant de vie et d'activités.

Adieu Londres, bonjour la banlieue

First things first, après l'extase de la nouvelle – « *I'm pregnant, darling!* » –, l'angoisse immédiate du déménagement. Notre future *Mummy* a neuf mois pour dire adieu au studio du centre de Londres, le studio de ses vingt ans qui lui coûtait les yeux de la tête mais qu'elle aimait par-dessus tout, même si elle n'avait jamais pu accrocher ses tableaux aux murs en raison de propriétaires tout-puissants et complètement *anal* (comprenez, rigides…).

Eh oui! À moins d'être déjà l'heureuse *landlady* d'une demeure victorienne de plus de trois pièces, elle va devoir déménager et, avec son salaire moyen de £2 500 par mois (elle se disait naïvement que ce n'était pas si mal), c'est la transhumance garantie vers les quartiers verts, résidentiels, familiaux mais carrément excentrés de Putney, Crouch End, Ealing, Fulham, Wimbledon, Clapham, Croydon, Lewisham, voire Richmond si elle gagne au loto. Bien sûr, elle peut se rassurer en se disant qu'elle est toujours à Londres, du moins en théorie, mais elle sait bien que plus rien ne sera comme avant. Ces quartiers périphériques constituent autant de ghettos dorés – ou argentés, mais c'est déjà pas si mal – et verdoyants pour familles relativement aisées mais pas assez riches pour rester au cœur de la capitale.

Tips

Comment repérer les Londoniens avec enfants? À leur code postal. Si vous rencontrez un beau garçon qui vous plaît et qu'il vous dit habiter dans le SW4 (Clapham), SW6 (Fulham), N8 (Crouch End), SW19 (Wimbledon), SW15 (Putney), SE13 (Lewinsham), sachez que monsieur vit sûrement en famille…

Notre *Mummy* pourra même avoir un petit jardin avec sa petite maison qui va lui coûter les yeux de la tête et pour laquelle elle devra s'endetter sur 50 ans. En fait, elle sait bien qu'elle se raconte des histoires : devenir mère à Londres veut souvent dire devenir banlieusarde. En France, elle en pâlirait de rage ; à Londres, elle se dit que *everything will be all right, dear! It's for the best!* Rester optimiste dans l'adversité, c'est tout à fait elle.

Stoïque Mummy

Stoïque, ça, on peut le dire, la *Mummy* londonienne l'est. Pas bordée, cajolée, chérie, protégée et suivie comme sa consœur française. Les femmes enceintes sont parfois même des curiosités pour leur employeur. « J'étais monteuse dans une boîte de postproduction à Soho, raconte Ella, mère de deux petites filles de 2 et 4 ans. Quand je suis tombée enceinte à 28 ans, j'ai créé la stupeur. Dans ce milieu, les gens sont très ambitieux, il faut constamment montrer qu'on est hyper *committed* et prêt à tout investir dans son boulot. J'étais encore monteuse junior en pleine ascension, donc beaucoup de gens ont pris la nouvelle comme un suicide professionnel, d'autant plus que les hommes dominent cette profession et que les femmes ont plus de mal à s'affirmer. Mes patrons ont plutôt bien pris la nouvelle au début, mais ils ont dû se creuser la tête pour me fabriquer un contrat de congé maternité car j'étais la première personne à tomber enceinte dans cette boîte, qui existait déjà depuis une bonne dizaine d'années ! » En Angleterre, en tant qu'employées, les femmes ont droit à 80 % de leur salaire pendant un mois ou deux, puis il descend à 50 % pendant encore un mois. Et basta. Elles peuvent choisir de prendre un mois supplémentaire sans solde.

« Mon contrat stipulait que j'aurais droit au congé maternité MAIS que je devrais tout rembourser si je décidais de démissionner à la fin de mon congé OU si je retombais enceinte dans l'année qui suivait. J'ai repris le travail au bout de quatre mois mais j'ai eu beaucoup de mal à me réadapter car je n'étais plus disponible à 100 % et la nounou me coûtait très cher. Je sentais bien que je ne faisais plus partie de l'équipe, ils me mettaient à part, n'investissaient pas autant sur moi que sur les autres monteurs. Au bout de huit mois, j'ai démissionné et j'ai commencé à travailler comme monteuse free-lance. »

Pendant la grossesse, *Mummy* londonienne apprend à faire comme si de rien n'était, ou presque. Et à attendre que « ça » se passe. « Ici, nous n'avons droit qu'à deux échographies en tout et pour tout, au troisième et au sixième mois [contre trois remboursées par la Sécurité sociale française]. Le médecin généraliste oriente la patiente vers un hôpital et le suivi se fait là-bas. À chaque visite, des analyses d'urine sont effectuées, mais aucune analyse de sang. Si tout se passe bien, sans complications, alors cela suffit. En cas de complications, c'est une autre histoire… » Pas très rassurant. En fait, notre *Mummy* londonienne essaie de ne pas trop y penser et se répète chaque matin nauséeux le leitmotiv national favori : « *Everything will be all right, dear!* » « Il faut apprendre à ne compter que sur soi, à ne pas attendre que l'on s'occupe de vous ou que tout vous tombe tout cuit dans la bouche. Si vous avez un esprit d'assistée, vous êtes fichue », commente Ella en serrant les dents.

Par comparaison, en France, la patiente, chouchoutée, va voir le gynéco ou la sage-femme tous les mois. On la regarde et l'ausculte de près, voire de très très près. Le toucher vaginal est une notion inconnue en Grande-Bretagne à moins, bien sûr, qu'il y ait danger imminent. En France, chaque étape du parcours de la combattante à l'accouchement est expliqué en détail, chaque rendez-vous noté. On veille sur vous. En Angleterre, pas de cocon, pas de main invisible bienveillante : à la guerre, comme à la guerre.

Le jour J arrivé, idem, la *London Mummy* n'est pas là pour rigoler. En Angleterre, on accouche à la chaîne, c'est la loi du *stop and go*. « J'ai accouché un mardi matin et j'ai dû quitter l'hôpital le lendemain midi. On rentre chez soi complètement crevée. Mais on n'a pas le choix, c'est comme ça. Alors, on accepte. » Quand on lui dit qu'en France, la jeune maman peut rester jusqu'à cinq jours à se reposer et apprendre le BA-ba de l'allaitement avec les sages-femmes et les infirmières puéricultrices, Ella fait une grimace amère : « *Bitches!* », s'écrie-t-elle malgré elle.

Posh Labor

La *Mummy* richissime préférera se faire suivre et accoucher dans le privé, à l'image de ses stars favorites : The Portland Hospital et The Hospital of St. John & St. Elizabeth (Kate Moss y a accouché) sont les deux adresses « exclusives » où se faire suivre et accoucher dans la soie. Coût du suivi et de l'accouchement au Portland Hospital : entre 9 000 et 20 000 euros. Si vous voulez faire des économies et ne faire qu'accoucher à l'Hospital of St. John & St. Elizabeth, il vous en coûtera 2 700 euros pour les premières 24 heures de *labour* (*delivery* du bébé incluse), puis comptez 1 200 euros par jour resté à l'hôpital. Pour le suivi de la grossesse par une sage-femme (mais pas par un gynécologue), prévoir 2 000 euros mais cela ne comprend pas les échographies ni les analyses d'urine et de sang.

Pendant la première année, la jeune maman a droit à une ou deux visites de routine chez le pédiatre, *and that's it.* « La plupart du temps, quand bébé est malade, les médecins me disent : "donnez-lui du paracétamol, et ça passera" », témoigne Ella. De quoi abasourdir les médecins français avec leurs ordonnances de deux mètres de long. « Les Anglais ne prescrivent presque jamais d'antibiotiques, ils préfèrent laisser faire la nature et aider l'enfant à lutter tout seul contre l'infection. Je trouve cela plutôt sain. Par ailleurs, jamais de suppositoires. Cela n'existe pas ici. C'est considéré comme absolument *shocking*! » Le suppositoire : un vrai choc des cultures. Allez expliquer aux Britanniques – même les plus progressistes, les *most well-travelled* – qu'on peut soigner une angine avec un « bonbon-lafesse ».

En cas d'urgence, pas de docteur à qui téléphoner. « On peut toujours appeler notre *Health Visitor* (sage-femme/puéricultrice) désignée par le *Council* pour assurer le suivi médical et général de notre enfant jusqu'à l'âge de l'école. Au pire des cas, il y a toujours la solution du pédiatre privé au Cromwell Hospital à 150 euros la visite. » On dira que ce genre d'expérience forge le caractère d'une nation. Mais pour la douceur de vivre, on repassera.

Hypnobirthing

Eleonore, 33 ans, enceinte de sept mois, est persuadée que son accouchement va être un cauchemar. Toutes les nuits, elle rêve qu'elle va y passer. Elle ne parle que de ça. Ben, son compagnon, doit trouver une solution, vite, sinon c'est lui qui aura besoin d'une péridurale. Il cherche partout la solution miracle, lit dépliants et magazines, consulte docteurs et sages-femmes, surfe sur Internet à la recherche de la méthode qui sauvera sa dulcinée. Un ami lui parle de l'*hypnobirthing*. C'est parti. Ben réserve un stage se déroulant sur deux week-ends pendant le huitième mois de grossesse. Eleonore n'a pas le choix. De toute façon, elle s'en fiche, elle a déjà fait son testament, écrit des lettres à toute sa famille. Elle sait bien qu'il ne lui reste plus que quelques semaines à vivre.

Hypnobirthing? Thérapie de l'accouchement par l'hypnose. Les cartésiennes que nous sommes imaginent encore une escroquerie à grande échelle pour jeunes couples aux abois. « Tu plaisantes, cela a marché du tonnerre », racontent Eleonore et Ben quelques jours après leur « accouchement d'équipe ».

L'hypnobirthing est devenu la dernière lubie des Londoniens trentenaires. Les *high profiles* du pays s'y sont mis, comme Beverley Turner. Beverley Turner, c'est un peu notre Jean-Paul Brouchon, en plus sexy. La jeune et jolie brune, épouse du champion olympique de rame, commente le Tour de France et défend ardemment l'*hypnobirthing*.

Cela dit, l'appellation est un peu trompeuse car, pendant deux week-ends, nos futurs jeunes parents ne sont pas hypnotisés ou en état de transe, ils apprennent le BA-ba de la relaxation et de la *birthing sharing experience.* L'idée centrale consiste, dès les premières contractions, à rester chez soi le plus longtemps possible, et, pour le futur papa, à prendre les choses en main afin d'« alléger » la future maman de toute inquiétude. Le voici transformé en chef de gare, le chronomètre en main pour mesurer la durée et le rapprochement des contractions, et en comique troupier avec, en réserve depuis des semaines, plusieurs douzaines d'histoires drôles pour maintenir la maman dans un état de légère euphorie.

L'*hypnobirthing* consiste en fait à convaincre la mère de laisser faire son partenaire, et le père à diriger la manœuvre. Cela devrait s'appeler le *daddy power birthing.* « Eleonore a eu ses premières contractions à 7 heures du matin. J'ai réussi à la distraire jusqu'à 18 heures. Je l'ai emmenée déjeuner, puis nous sommes allés au cinéma voir un vieux film des Marx Brothers, mon chronomètre attaché au pouce droit. À 18 heures, direction l'hôpital où je lui ai tout de suite mis un casque avec de la musique douce sur les oreilles pour qu'elle n'entende pas les autres femmes crier à la mort. Dans la salle d'accouchement, je continuais à la faire rire tout en lui massant le bas du dos comme je l'avais appris lors de nos cours. Eleonore n'a même pas eu besoin de péridurale. Je l'ai fait tellement rire qu'elle avait produit assez d'endorphines! Quand il a fallu pousser, cela a duré trente minutes et Gaia est née. En fait, Eleonore a réussi à rester calme et détendue. Elle a ainsi pu se concentrer, ses forces rester intactes, et pousser au moment clef comme une reine », raconte Ben, très fier de lui.

Le père devient coach, et la mère championne olympique.

Bringing up baby

Notre *Mummy* est stoïque, nous avons vu à quel point. Maintenant, il lui faut devenir philosophe. À sa place, la Française se jetterait par la fenêtre. Les quatre premières années de bébé sont les plus dures pour sa mère. « Si on veut reprendre le boulot, quatre options pour faire garder bébé : la crèche où les places sont très recherchées, très rares et coûtent 60 euros environ par jour ; la *childminder* recommandée par le *Council* local, coûtant entre 45 et 75 euros par jour selon le quartier ; la *nanny* qui vient garder le bébé chez vous à 12 euros de l'heure ; enfin, la jeune fille au pair qu'il faut loger, nourrir et payer 120 euros par semaine. Cette dernière est la meilleure solution, la moins coûteuse, mais encore faut-il avoir une chambre de libre », explique Noemie, maman du petit Zach, âgé de deux ans, et qui a mis sa carrière en *stand-by* pour s'occuper de son fils. C'est *daddy* le *bread-winner*.

Noemie, de passage en France, s'est émerveillée du système de garderie d'un village des Pyrénées : « J'ai laissé Zach à la halte garderie, cela m'a coûté moins de la moitié de ce que je paie à Londres et le système était beaucoup plus flexible, une sorte de *pay as you go,* alors qu'à Londres, je dois payer la crèche même quand Zach est malade ou quand nous partons en vacances. »

En fait, beaucoup de *Mummies* londoniennes qui ne gagnent pas des fortunes à la City préfèrent s'arrêter de travailler pour s'occuper de leurs enfants jusqu'à leur entrée à l'école à l'âge de 4 ans. À partir de 3 ans, l'enfant peut aller à mi-temps en *nursery*, mais là, impossible de choisir celle que vous préférez, votre enfant ira à celle du coin de la rue, un point c'est tout. Dans ce monde de brutes, il existe cependant de bons côtés : « L'éducation anglaise insiste sur l'indépendance et l'individualité des enfants, elle les responsabilise très tôt, estime Noemie. Elle enseigne aussi un grand respect pour les différences culturelles. Chaque grande fête religieuse, ramadan, Yom Kippour, Noël, Nouvel An chinois, est célébrée par toute la classe. Je me dis parfois que c'est de l'angélisme superficiel, du genre United Colours of Benetton, mais finalement, il vaut mieux cela que le contraire. »

La *Mummy* n'est pas pour autant plus libre quand son enfant atteint l'âge fatidique de 4 ans. « L'école ne les prend en charge que de 9 heures à 15 heures. Parfois, certaines écoles proposent une "étude" jusqu'à 16 h 30 mais il faut compter 20 euros par jour et par enfant. C'est rude », concède Noemie. Dans les quartiers aisés, la plupart des enfants ont des *private tutors* qui les aident à faire leurs devoirs avant le retour des parents. C'est ce qu'on appelle l'égalité des chances à l'anglaise…

Inscription à l'école primaire

L'inscription à l'école primaire peut tourner au cauchemar car les parents n'obtiennent pas toujours l'école qu'ils ont choisie dans leur quartier. Les bonnes écoles publiques étant *oversubscribed,* il leur faut souvent se rabattre sur les écoles privées catholiques ou anglicanes, ou encore les *public schools* (écoles privées-privées) s'ils en ont les moyens. Ou s'inventer une foi religieuse qu'ils n'ont pas forcément. Certains couples se mettent à prétendre être chrétiens pratiquants pour faire entrer leurs enfants dans la bonne école du quartier qui dépend de l'Église. Fini les brunch dominicaux avec eux ! Ils sont de corvée de bénitier tous les dimanches. S'ils sont démasqués, leurs bambins seront renvoyés de l'école.

« Quand on a des enfants en primaire et qu'on vient s'installer à Londres, avant de commencer à chercher une maison, il faut se renseigner sur la qualité des écoles primaires du coin et prendre en compte le *catchment area* de ces écoles », conseille Noemie.

BOARDING SCHOOLS

Eton, une affaire de famille. Bien souvent, fils, père, grand-père et arrière-grand-père y ont usé leurs *trousers*, aguerri leurs talents et meurtri leur âme. Les *public schools* (qui sont en fait très privées) sont une affaire de famille, mais aussi une affaire de classe. Elles s'appellent Eton, Harrow, Gordonstoun ou Westminster. Elles ont été fondées il y a plusieurs siècles. Magnifiques bâtiments derrière d'épais murs d'enceinte où l'on porte un uniforme. Les listes d'anciens élèves ressemblent au *Who's Who* du pays : Winston Churchill (18 autres Premiers ministres et deux princes) pour Eton, Cecil Beaton pour Harrow, le prince Charles pour Gordonstoun, Sir Peter Ustinov pour Westminster.

Alors que les Continentaux préfèrent voir grandir leurs enfants, dans les îles Britanniques, le *nec plus ultra* en matière d'éducation se passe loin, très loin de papa-maman.

La *public school* inculque des valeurs que l'on ne trouve, paraît-il, pas ailleurs. Elle enseigne la littérature, le latin et le grec, matières les plus nobles en Grande-Bretagne (ici, c'est l'équivalent du bac littéraire qui est prisé), le rugby et le cricket. Elle forge le caractère, apprend aux petits garçons à devenir des hommes, à être durs, à ne pas pleurer. C'est sûr que les douches glacées, les fessées infligées par un prof de latin amateur de postérieurs juvéniles, ou encore les coups de règle sur les doigts, ça vous change un garçonnet en homme atrophié du cœur. Michael Mead, sujet de Sa Majesté et ancien élève d'une *boarding school* (l'autre nom des *public schools*) confirme : « J'ai grandi dans un univers où il n'y avait quasiment aucune femme. Les châtiments corporels, les punitions pleuvaient. Ça m'a appris à m'endurcir. Et à ne rien comprendre aux femmes. Par exemple, pendant longtemps, je trouvais ça totalement déplacé de tenir la main de ma petite amie en public. » Tony, son Australienne de *girlfriend,* acquiesce : « Les *public school* anglaises ont un effet horrible sur les garçons. Michael a beaucoup changé, mais au début il était très réservé. Il ne montrait presque jamais ses sentiments. »

C'est sans doute pour cela que le stéréotype de l'Anglais froid, réservé, né dans ce genre d'écoles a encore de beaux jours devant lui.

Mais que se passe-t-il de si barbare dans une *boarding school*? La journée démarre à 6 heures 45. Les plus jeunes sont chargés de réveiller les *prefects* (les terminales). Et de pratiquer le rituel du *fagging* : cirer les chaussures des aînés, leur faire couler un bain, leur préparer le café. Et si tout ça n'est pas fait à la virgule près, les *prefects*, responsables de la discipline, se réservent le droit de battre les petits. Ah, et quand on est battu, il faut serrer la main de son tourmenteur et lui dire : « *Thank you very much.* » Peter a passé toute son adolescence en *public school* et encore aujourd'hui, il est fier de dire qu'il n'a jamais pleuré sous les coups.

Des amitiés royales et princières, une place à Oxford ou Cambridge, l'espoir de devenir Premier ministre, la certitude de faire partie de l'élite. Alors l'âme, le cœur, les sentiments, *who cares*?

ÉCOLE PUBLIQUE CHERCHE MÉCÈNE

On les appelle les *trust schools*. Des écoles publiques sponsorisées par des entreprises privées ou des communautés religieuses. Grâce à la nouvelle loi sur l'éducation, proposée par le gouvernement Blair et votée au printemps 2006, Microsoft et l'Église anglicane pourront financer des établissements scolaires et, du coup, influencer leur *curriculum*, c'est-à-dire leur programme! En France, on demande aux écoles privées de se mettre sous contrat avec l'État; en Grande-Bretagne, c'est le libéralisme appliqué à l'éducation. À quand la *Big Mac Academy*?

Profession : Welfare Mum

Notre *Mummy* a parfois fait de la ponte un mode de vie, un destin, et, dans certains cas, on peut même dire, une profession, comme sa mère avant elle, et maintenant ses copines. Cette *Single Mum* est communément appelée *Welfare Mum*. Ses détracteurs expliquent qu'elle a très bien compris que, sans qualifications, seules les allocations familiales pour *Single Mum* allaient pouvoir la faire subsister. La presse Murdoch (presse populiste de droite) attaque souvent cette figure honnie, devenue une véritable caricature nationale comme dans la fameuse série de télévision *Little Britain*. Voici comment elle est décrite : elle est jeune, *Teenage Mum* devenue *Welfare Mum*, du genre 19 ans et deux enfants en bas âge – les géniteurs, eux aussi adolescents, se sont enfuis le jour de l'accouchement. Du moins c'est ce qu'ils prétendent, sinon elle toucherait moins d'allocs. Déjà presque obèse, elle s'habille en survêtement rose bonbon, porte ses cheveux mal décolorés blonds, longs ou en *ponytail*, et aime porter des kilos de bijoux de pacotille. Elle n'a pas non plus la langue dans sa poche et aime crier des insultes aux passants. Ses enfants, la morve au nez en permanence, sont mal élevés. Elle vit du *child tax credit*, de l'*income support* et d'un prêt de maternité de 750 euros instauré par le gouvernement travailliste.

Le *Daily Mail* s'en prend régulièrement à ces jeunes filles qui sont nulles au collège mais « connaissent déjà tout des systèmes d'allocations en vigueur ». Pour ce journal férocement populiste, cette perversion du système encourage en fait le sexe *under age* et vante auprès de ces jeunes filles ce *lifestyle* payé par les contribuables et qu'elles croient glamour. « Les prêts de maternité du gouvernement encouragent ces *teenagers* des quartiers difficiles à se faire engrosser pour obtenir l'appartement qu'elles croient naïvement pouvoir obtenir des services sociaux. » Le *Daily Mail*, lui, aimerait que le gouvernement fasse campagne en faveur d'un retour à des « valeurs traditionnelles, comme la modestie, la dignité » et surtout, qu'il dise aux adolescents : « *Say no to sex.* » *Dream on...*

JK Rowling, Welfare Mum devenue milliardaire

JK Rowling fut voici douze ans une *Welfare Mum* vivant d'allocations familiales et passant ses journées dans les cafés d'Édimbourg pour se réchauffer, elle et sa fille. Dans ces cafés, elle donnait naissance au plus rentable de ses enfants, Harry Potter... *The rest is history.* Ambassadrice pour l'association *Council for One Parent families*, JK Rowling vient de prêter son visage et sa voix à une campagne lancée par un groupe d'organismes caritatifs en faveur d'une réforme du *Social Fund*. Elle milite ainsi pour l'allocation de bourses aux familles en difficulté, et non de prêts qu'elles ne pourront pas rembourser.

Teenage Mum

Chaque année, plus de 8 000 Anglaises et Galloises de moins de 16 ans deviennent mères de famille. Le taux de grossesses adolescentes le plus élevé d'Europe occidentale. La grossesse de lendemain de soirée trop arrosée constitue une pratique toute anglaise qui se répète de génération en génération. Mère à quinze ans, grand-mère à trente. Rien de plus normal.

8 adolescentes britanniques sur 10 perdent leur virginité lors d'une soirée alcoolisée, et la moitié d'entre elles n'utilisent pas de moyen de contraception. C'est le Trust for the Study of Adolescence qui l'affirme dans un rapport publié en mai 2006. De quoi faire réagir des magazines d'ados du genre *CosmoGirl* qui a récemment lancé une campagne d'information en direction des 5,2 millions d'ados britanniques : « *Just say no !* » Le ministère de la Santé, lui, a lancé une campagne nationale de 75 millions d'euros sur le thème « sexe responsable et protégé ».

Ah, les parcs et jardins anglais !

« Ah, les jardins anglais et les parcs londoniens », soupire avec délectation notre jeune *Mummy*. S'il y a une chose sur laquelle elle peut compter pour rendre agréable son quotidien et celui de son *toddler*, ce sont bien les espaces verts de la capitale britannique. Ella résume bien la situation : « La plupart des maisons ont des jardins, les rues sont larges et arborées. Londres est une ville beaucoup plus verte que Paris, par exemple, et plus étendue aussi, ce qui donne l'impression de mieux respirer. Il existe un nombre considérable d'activités gratuites pour les enfants organisées par la ville, les *Councils* et les musées. » On ajoutera qu'il y a beaucoup moins de crottes de chiens qu'à Paris ou que dans les villes de la Côte d'Azur.

Guide et sources d'information

- *The Good Parks Guide 2007-2008* publié par la Royal Horticultural Society.
- *The Guardian* et *The Independent* ont des « *Kids Sections* » dans leurs éditions du week-end. *Time Out* aussi.
- S'inscrire à la bibliothèque de son quartier permet de se tenir au courant, elle organise souvent des activités pour les enfants et possède des sections « *Foreign Languages* ».

Contrairement à sa consœur parisienne, *London Mummy* n'a pas le choix qu'entre le jardin d'Acclimatation et la féerie du Grand Rex pour amuser sa petite troupe. À sa disposition : parcs, aires de jeux, pataugeoires, zoos, bibliothèques, fermes de ville, activités variées pour la modique somme (tout arrive) de 3 euros de l'heure, sans parler des lacs, de leurs canards et minipédalos, du barbotage autorisé dans la Serpentine de Hyde Park, sans oublier les fameux *soft play areas*. Très utiles dans une ville où il pleut souvent, ces endroits sont des aires de jeux *indoor* où les enfants peuvent grimper, sauter, glisser, ramper pendant que les mamans tchatchent en sirotant leurs cappuccinos.

Et pour les *Mummies* plus huppées, pas même besoin de se mélanger au quidam. Londres est l'une des rares villes d'Europe à offrir des parcs privés. Il existe de beaux grands parcs pour le public et une multitude de petits parcs privés fermés à clef, accessibles uniquement aux personnes autorisées. Seuls les résidents (et propriétaires de leur logement) habitant sur le square ont le droit d'en posséder la clef. Certains, dans les beaux quartiers (dans le SW1 et SW3 notamment), ont même des cours de tennis.

Comment expliquer ce florilège d'activités *outdoor* et *indoor* quand, par ailleurs, la vie semble si difficile pour les mères de famille ? « Nous adorons le sport et la campagne. Les parcs et jardins à Londres, c'est une façon de recréer la nature en pleine jungle urbaine. La sociabilité anglaise, qu'elle se fasse entre bébés, enfants, ados ou adultes, passe par le sport et les activités physiques. C'est un trait de notre caractère », explique Angie.

Interdit aux chiens...

Elle pensait que c'était une légende, une histoire qu'on raconte pour faire rire la galerie et puis notre *Mummy* s'est vite rendu compte qu'il n'y avait pas lieu de rigoler. « Cela me rend folle à chaque fois que nous tentons le coup avec les gosses. Il faut savoir que dans ce pays retardé, la grande majorité des pubs n'acceptent ni les chiens, ni les enfants (dans cet ordre). Le plus prudent si on veut quand même s'offrir un *sunday lunch* au pub en famille, c'est de consulter les guides spécialisés comme le *Time Out Kids Special* », témoigne Jessica, mère de deux petits garçons de 18 mois et 4 ans.

Bargain Mum

Partageant avec ses consœurs londoniennes la folie du shopping et la frénésie de la carte de crédit, notre *Mummy* a pourtant délaissé Harvey Nichols, Selfridges ou encore le lèche-vitrine du samedi après-midi de New Bond Street. Tout ça, c'est fini. Ce qui l'intéresse, c'est la chasse à la *bargain* pour ses enfants, vêtements, livres et jouets. Elle se bat comme une tigresse pour habiller ses loupiots avec style dans une des capitales les plus chères au monde.

Quand Topshop, grand magasin mythique sur Oxford Circus proposant vêtements *groovy* et abordables, a ouvert au printemps 2006 une boutique *maternity*, ce fut la ruée des grands jours. John Lewis et Mothercare, les leaders sur ce marché, n'ont qu'à bien se tenir, la bataille pour le porte-monnaie des *Yummy Mummies* a commencé.

Et puis il y a les *High Tech Mummies* comme Tess : « Moi, j'achète leurs vêtements par correspondance : j'adore la ligne pour enfants de Mini Boden. »

Au royaume du jouet, l'enfant londonien est roi. Non seulement la capitale regorge de boutiques Hamleys et Disney, mais chaque quartier pullule de magasins spécialisés. Le jeu est un apprentissage sérieux, inculqué dès le berceau entre deux couplets de *God save the Queen*.

La littérature enfantine, spécialité anglaise

Beatrix Potter et son *Peter Rabbit*, Enid Blyton et son *Club des Cinq*, JK Rowling et son *Harry Potter*, Roald Dahl et *Charlie et la chocolaterie*… difficile de faire mieux en littérature enfantine que les Britanniques. Et l'on ne parle même pas d'*Alice au pays des merveilles* ou de *Peter Pan*.

Petite sélection de notre *Mummy* londonienne :
- *There Was an Old Lady Who Swallowed a Fly* de Sims Taback
- *Winnie the Pooh* de A. A. Milne et E. H. Shepard
- *The Wheels on the Bus* de Annie Kubler
- *The BFG* et *Matilda* de Roald Dahl
- *The Treasure Island* de Robert Louis Stevenson

STOÏQUE MUMMY

www.thebirthcompany.co.uk
www.babyworld.co.uk

HYPNOBIRTHING

www.hypnobirthing.co.uk

BOARDING SCHOOLS

Eton

Windsor SL4
017 5367 1000
www.etoncollege.com

Winchester College

College Street
Winchester SO23
019 6262 1100
www.winchestercollege.co.uk

AH ! LES PARCS ET JARDINS ANGLAIS

Bruce Castle Park

Lordship Lane, London N17
020 8489 5662

Canons Park

Whitechurch Lane
Canons Park Edgware
London HA8
084 5225 2601
www.harrow.gov.uk

Gladstone Park

Dollis Hill Lane, London NW2
020 8937 5619

Mile End Park

Mile End Road, London E3
020 7264 4660

Victoria Park

Old Ford Road, London E9
020 8985 1957

INTERDIT AUX CHIENS

CAFÉS CHILDREN FRIENDLY
La chaîne **Giraffe** propose jus, *smoothies* frais et salades variées.
La chaîne **Pizza Express** aime également les enfants. Ouf !

Giraffe

6-8 Blandford Street, London W1
020 7935 2333
7 Kensington High Street
London W8
020 7938 1221

Hamleys

188-196 Regent Street
London W1B
087 0333 2455
www.hamleys.com

John Lewis

Oxford Street
London W1A
020 7629 7711

Mothercare

316 North End Road
London SW6
020 7381 6387

Pizza Express

www.pizzaexpress.co.uk

Topshop
216 Oxford Street
London W1D
020 7636 7700

Conclusion

Perchée au bar du National Film Theatre sur la South Bank, un *caffe latte* dans la main gauche et le pont de Waterloo au-dessus de la tête, je me souviens d'un vers de John Keats, poète romantique en diable : « *A thing of beauty is a joy for ever.* » Et je pense à Londres.

Beauté n'est peut-être cependant pas l'adjectif qui vient immédiatement à l'esprit du nouvel arrivant. La brutalité, l'originalité et la magnificence de la capitale britannique frappent davantage. Trois traits de caractère partagés par ses habitantes. Comme leur capitale, elles ne sont pas belles, non, elles sont plus que cela : résistantes, téméraires, courageuses, extrêmes, indomptables.

Non, elles ne sont pas chic, et elles s'en contrefichent. Oui, elles boivent trop, et alors, occupez-vous de vos affaires ! Non, elles n'ont pas froid dans leur minijupe en plein mois de décembre, elles sont faites en acier trempé. Oui, elles aiment l'amour à la hussarde, pourquoi, on fait l'amour différemment ailleurs ? Il faudra leur expliquer. Non, elles ne parlent pas de langues étrangères, pas besoin quand le monde est toujours venu à vous, disent-elles, avec l'arrogance qui les caractérise parfois.

Oui, elles aiment leur capitale. En fait, c'est bien pire : *they've got it under the skin.* Elles l'ont dans la peau. Et nous, dans le sang. Londres, ça s'attrape un beau jour, ça vous change le caractère et ça ne vous quitte plus.

Lexique

Absolutely brilliant	Absolument génial
Badmash!	Coquin!
Carmy, batty	Folle
Beware!	Attention!
Bollocks!	Foutaises!
Bugger!	Merde! (littéralement « sodomie », interjection largement employée, comme dans « *Bugger*, j'ai raté mon train! »)
Bullshit!	Connerie!
Coarse, crass, loud, brash	Vulgaire
Damned!	Bordel!
To die for	À mourir
Dream on!	Tu peux toujours rêver!
Fab!	Fabuleux!
Genitalia	Couilles
God forbid!	Dieu nous garde!
In your face	En pleine poire
Sake (for God's sake! for old time's sake!)	Pour l'amour de Dieu! En souvenir du bon vieux temps!
Tacky	Ringard
Twat!	Crétin!
Wicked!	Génial!
A win-win situation	Une situation gagnante sur tous les fronts

You, schmuck!	Espèce d'imbécile!
You're just a bore	Tu m'ennuies!
Yuck!	Beurk!
Yummy	Miam miam

SEXE & ROCK'N'ROLL

Butch	Gouine
Binge	Orgie
(drinking / shopping / fucking)	(de boisson/de shopping/ de sexe)
Close encounter	Brève rencontre
Clubbing	Faire la fête en boîte de nuit
Cruising spots	Endroits de drague
Dyke	Lesbienne
Indie	Indépendant
Gig	Concert
Massage parlours	Endroits parfois louches où l'on se fait masser
One night stand	Nuit d'amour sans lendemain
Passion killer	Tue l'amour
To snog	Rouler un patin
To swing both ways	Marcher à voile et à vapeur

MÉTHODE COUÉ A L'ANGLAISE
AKA WISHFUL THINKING

Everything will be all right, dear!	Tout ira bien.
It's for the best!	Tout va pour le mieux dans le meilleur des mondes.
Never complain, never explain.	Ne jamais se plaindre, ne jamais rien expliquer.

A nice cup of tea.	Une tasse de thé revigorante
Rule Britannia!	Règne Grande-Bretagne!
So far, so good.	Jusque-là, tout va bien.
Stiff upper lip.	Littéralement avoir la lèvre supérieure figée. Désigne le fait d'être fort dans l'adversité, mais souvent employé pour décrire le caractère réservé des Anglais.
A thing of beauty is a joy for ever.	Une belle chose est une joie éternelle.

VOCABULAIRE DE SURVIE
(SELON LE MILIEU QUE VOUS FRÉQUENTEZ)

Bedsits	Chambres de bonne à l'anglaise
Bell boy	Garçon d'étage, groom
Boarding schools	Pensionnats
British Asians	Britanniques d'origine indo-pakistanaise
Butler	Majordome
Commuters	Habitants des banlieues qui font chaque jour le trajet entre leur domicile et la capitale
Eateries	Restos
Flatmates	Colocataires
Flatsharing	Colocation
Flea markets	Marchés aux puces
Foodie	Gastronome
Foxhunting	Chasse à courre au renard
Ginger beer	Bière de gingembre

House matron	Intendante générale
Flat hunting	Chasse à la location d'appartement
Housekeeper	Gouvernante
Labour (delivery)	Naissance
Lady's maid	Femme de chambre
Mansion	Belle maison de maître
Maternity nurse	Infirmière maternelle
Membership	Appartenance à un club
Mews	Impasses dans lesquelles se trouvaient les écuries
Networking	Se constituer et faire fonctionner son réseau
Organic victim	Victime de la tyrannie bio
Porter	Concierge
Private tutors	Répétiteurs privés
Rush hour	Heure de pointe
Scrumptious	Délicieux
Stately homes	Belles et riches demeures
Steeple chase	Sorte de course menant ses participants d'un village à un autre en leur imposant de se repérer grâce à la pointe des églises
Up and coming	Qui monte, qui monte, qui monte…

AH, LES FILLES...

A bargain	Une affaire
Cutting edge	À l'avant-garde
Fashion disaster	Catastrophe vestimentaire
High art & high brow	Artiste et intello

Hot baby	Fille qui n'a pas froid aux yeux
Husband hunting	Chasse au mari
No nonsense	Carré, sans détour
Selfconscious	*Se* sentir sur la sellette
A sex pot	Une fille sexy
A Sloaney	Une habitante du quartier de Sloane Square, carrément snob et dans le coup
Spinsters	Vieilles filles
Sugar conscious	Qui surveille sa consommation de sucre
Trendsetter	Créatrice des dernières tendances
Trend victim	Victime de la précédente
Yummy mummies	Jolies mamans

Les pintades on line

Retrouvez les pintades sur leur site Internet :

www.lespintades.com

Les bons plans pour découvrir New York et Londres tout en suivant l'actualité de ces villes, la présentation du livre et mille autres choses pour les pintades new-yorkaises et londoniennes… et d'ailleurs !

Découvrez d'autres basses-cours avec la collection des Pintades et la série de documentaires diffusés sur Canal+.

Dans la collection « Les Pintades »,
dirigée par Layla Demay et Laure Watrin

Layla Demay et Laure Watrin, *Les Pintades à New York,*
éditions Jacob-Duvernet, 2005

Layla Demay et Laure Watrin, *Le New York des Pintades,*
guide des bonnes adresses de New York pour pintades voya-
geuses, éditions Jacob-Duvernet, 2005

Delphine Minoui, *Les Pintades à Téhéran*, éditions
Jacob-Duvernet, 2007

Composition réalisée par ASIATYPE

Achevé d'imprimer en janvier 2011 en France par
IME
Dépôt légal 1ʳᵉ publication : mars 2008
Édition 03 – janvier 2011
LIBRAIRIE GÉNÉRALE FRANÇAISE
31, rue de Fleurus – 75278 Paris Cedex 06